SV

Wolfgang Hildesheimer

Tynset

Suhrkamp Verlag

11.–15. Tausend 1966
© Suhrkamp Verlag, Frankfurt a. M. 1965. Alle Rechte vor-
behalten. Printed in Germany. Satz und Druck in Linotype
Walbaum bei Buchdruckerei Poeschel & Schulz-Schomburgk,
Eschwege. Bindung bei Buchbinderei Ludwig Fleischmann,
Fulda. Papier von der Peter Temming AG, Glückstadt, Elbe.

Tynset

Ich liege im Bett, in meinem Winterbett.

Es ist Schlafenszeit. Aber wann wäre es das nicht? Es ist still, beinah still. Nachts weht hier meist ein Wind, und es krähen ein oder zwei Hähne. Aber jetzt weht kein Wind, und es kräht kein Hahn, noch nicht. Dafür knackt es hin und wieder im Holz der Täfelung meiner Wände, irgendwo spaltet sich eine Füllung, wirft sich und löst sich schrumpfend aus dem Rahmen, uralter Leim bröckelt in Perlen ab oder rieselt als Mehl, oder ein Riß huscht entlang einem Balken der Zimmerdecke, von einer Ecke bis tief in die andere, und darüber hinaus, durch die hölzerne Wand, weiter dem Balken entlang, in das nächste Zimmer, das leere Zimmer, wo er versickert und verklingt.

Man sagt: »Holz arbeitet«, was zu bedeuten hat, daß es an Substanz verliert, daß die hölzernen Körper kleiner werden, immer kleiner. Man merkt es erst nach vielen Jahren, und nach diesen vielen Jahren fragt man sich, frage ich mich, wohin das fehlende Gewicht entschwebt, wo diese Substanz eigentlich hingekommen ist. Ich weiß, die ätherischen Öle verdunsten, ich weiß –, aber wo bleibt ihr ätherischer Dunst? Wohin entschwindet geschwundene Materie? Nun – das sind die geringsten Fragen, die ich mich frage.

Jedenfalls, anstelle der Substanz klafft Hohlraum in Form von Ritzen oder Fugen oder Spalten oder Löchern, eine Tür hebt sich, unheimlich langsam, über ihrer Schwelle, ein Fenster verzieht sich, wird windschief, wird undicht, und manchmal, plötzlich, zieht ein jäher Sog von Luft durch die Zimmer, Wind, ein Stoß geballter Zeit, er trägt einen Geruch oder auch nur die Idee eines Geruches, als wolle er, unerwartet, eine Erinnerung wecken, aber er will nichts dergleichen, ganz im Gegenteil, er bläst die Idee hinweg, bevor sie untergebracht ist, er löscht sie wieder aus, und das ist gut so.

Meist aber weht unter all den flüchtigen Gerüchen ein Hauch von Weihrauch. Er breitet sich, von Celestinas Zimmer ausgehend, scheinbar gleichmäßig im Hause aus. Sie hat immer ein Fäßchen davon in ihrem Zimmer, und in der Nacht zündet sie ihn an. Wo sie ihn bezieht, weiß ich nicht, ich denke, in einer Devotionalienhandlung in der Stadt, falls man ihn dort an weltliche Personen verkauft. Nein, nein, dort bezieht sie ihn nicht, es bedarf dazu der Empfehlung und eines Gesuches mit der

Unterschrift zweier geistlicher Personen, und die bekäme sie niemals, nicht sie. Sie bezieht ihn also vermutlich beim Gewürzkrämer. Der Geruch ist mir nicht unangenehm, er erinnert mich an Vorfreuden auf reiche Hochzeitsdiners – noch ist man in der Kirche, aber bald wird man beim Essen sitzen – er erinnert mich an Gänge durch ferne östliche Basare, auch an barbarische Gerichte in der Wüste, seltsam, daß Zeltbewohner so gut zu würzen verstehen. Er hat aber auch etwas vom Rosmarin oder, mehr noch, vom Origano, ja, das ist es, vom Origano, der sanfteren aber wildwachsenden Variante des Majoran, den ich zu züchten versucht habe – vergebens: er bleibt wild. Weihrauch regt meinen Appetit an, und ich habe mir schon manches Mal eine Prise davon aus Celestinas Kammer geholt und ins Holzfeuer gestreut, wenn ich ging, um Kastanien zu rösten, als ich noch Kastanien röstete.

Am Tag wird er meist von anderen Gerüchen übertönt, es zieht allerlei durch meine Räume, kurze sommerliche Stöße von einem Kräuterwind, einem Gewürzwind, zwischen langen Brisen ländlicher Aromata, von Stall, von Wald, Vieh, Haushalt, Landwirtschaft, aber in der Nacht, wenn diese Quellen verdeckt sind, bleibt immer jener Geruch, jenes Aroma einer linden Heiligkeit, und oft gehe ich betäubt durch meine Räume, wandle wie ein sündiger Eindringling auf einer Wiese von Segen, der ihm nicht zukommt.

Ich greife blind auf den Nachttisch nach einem Buch. Ich bekomme ein Telefonbuch zu fassen, ich lege es aus der Hand.

Ich greife nochmals und bekomme ein Kursbuch zu fassen, ich nehme es auf. Es ist das Kursbuch der norwegischen Staatsbahnen, und zwar die Ausgabe von 1963. Es ist also nicht mehr ganz neu. Auf dem Gebiet der Eisenbahnen jedoch dürfte sich innerhalb der letzten Jahre nicht viel geändert haben, es werden keine neuen Linien mehr gelegt, zumindest nicht in Europa. Vielleicht hat man hier und dort eine schnellere Querverbindung hergestellt, einen günstigen Anschluß, vielleicht hat man ein paar Minuten eingespart, oder auch eine Stunde, die dem System an anderer Stelle zugute kommen mag, mehr nicht, mehr ist es wahrscheinlich nicht. Es ist mir auch weniger um die Zeiten zu tun als um die Orte und ihre Entfernungen untereinander und von mir, der ich jetzt im Bett liege, weit von Norwegen, und im Kursbuch lese. Die Entfernungen bleiben immer die gleichen, darauf wenigstens kann man sich verlassen.

Das norwegische Kursbuch ist ein gutes Kursbuch. Es enthält kein Wort, keine Zahl und kein Zeichen zuviel. Gewiß, diese wohltuende Beschränkung auf das Wesentliche seines Gegenstandes hat es mit anderen Kursbüchern gemein, jedes wahre Kursbuch bietet ausschließlich gültigen Tatsachen Raum, die nur einer geringen Wandlung unterliegen, bedingt durch Jahreszeiten, deren es aber nur zwei gibt: Sommer und Winter. Kein Herbst und kein Frühling. Seine Symbole sind einleuchtend wie Bilder für Kinder, verstecken sich nicht, sind, im Gegenteil, Vorbedingung zum Verständnis des Buches, offenbaren sich in klaren Zeichen und strenger Ordnung: jede Ankunftzeit und jede Abfahrtzeit steht für einen tatsächlichen, nachprüfbaren Vorgang: eine Ankunft, eine Abfahrt. Und mit jeder Zeile vergeht die Zeit, wechseln Zeit und Schauplatz des Geschehens. Und umgekehrt: jede Reise ist eine Bestätigung der relativen Verläßlichkeit dieses Buches, dem kein anderes Motiv zugrunde liegt als eben diese Verläßlichkeit, ohne die es, wie es sehr wohl weiß, sinnlos wäre –, – aber im norwegischen Kursbuch steht mehr, wenn man es recht zu lesen versteht. Zwischen den Zeilen breiten sich die großen Entfernungen aus, weitet sich ein spröder, windiger Spielraum, den die Daten einer Ankunft oder einer Abfahrt nur

11

ungefähr umreißen, ohne ihn zu nennen oder ihn zu erfahren; sie stecken nur die Grenzen ab zwischen diesem Ort, der im Nirgendwo liegt, und dem anderen Ort, der ebenfalls im Nirgendwo liegt, aber in einem anderen Nirgendwo, in dem man die Sage des ersten Ortes in einer Abwandlung erzählt, günstig dem zweiten Ort, dem ersten abträglich, und im dritten Ort, der wieder in einem anderen Nirgendwo liegt, ist eine andere Sage angesiedelt, die anderer Orte Sagen Lügen straft, der vierte Ort ist Schnellzugstation, ihm ist die Sage schon lange abhanden gekommen.

Die Täler sind hunderte Kilometer lang, und in diesen langen Tälern höre ich von weitem den Zug über die sumpfgrüne, unbevölkerte Hochebene ziehen, ich stehe und habe sein fernes Rauschen im Ohr, da fährt er, kriecht er, leicht bergan und über eine morastige, von Saft schmatzende Wasserscheide, und dann wieder leicht bergab, hinein in andere Täler, zwischen zwei grauen Berghängen, hinab –, höre ich das Echo der Räder auf den Schienen, oder –

besser noch: stehe ich selbst im Zug, im Licht eines nördlichen Nachmittags, zwischen den waagerechten Strahlen einer Sonne, die, still stehend, den Ort ihres Untergangs sucht und lange nicht findet; die durch die Fenster und unter den Waggons

hindurchleuchtet und Abdrücke ihrer Schattenge-
genstände flüchtig auf die Wiesen stempelt, schwim-
mend oder vieleckig, zackig und kantig, bis an
den Bergrand und darüber hinaus,

und ich sehe mich, mein Bild, meine dunkle Fläche
und meine Umrisse, wie sie, weit dort hinten, an
den Hängen entlanggetragen oder gezogen oder
geschoben werden, durch Gestrüpp, verzerrt, entlang an Birken und Tannen und über die Felsen
und, plötzlich aufrecht und nah und senkrecht,
über einen hölzernen Schuppen, und ich sehe mich
weit von mir entfernt, sehe mich fern und klein
und sehe mich wieder nah und riesig groß und
wieder winzig klein, ich bin hier, und ich bin nicht
hier, ich bin dort hinten und wieder hier und
wieder weit von mir weg.

Ich lese also in diesem Kursbuch. Lese da zum Beispiel von einer Nebenlinie, die führt von Hamar
nach Stören, und zwar über Elverum, Tynset und
Röros. Trotz dieser wohlklingenden Zwischen-
stationen tritt der Nebenliniencharakter eindeutig
in Erscheinung. Zwischen den Endstationen, die
beide fettgedruckt sind, nehmen sich diese drei
dünngedruckten Namen mißvergnügt aus, un-
scheinbare Kinder, die diese Namen nicht füllen,
enttäuschender Nachwuchs, beiderseitig bevor-

mundet von zwei fetten Eltern, Stören die blonde Mutter, Hamar der schwarze Vater, das mutet an wie ein trauriges Märchen, erzählt am erkalteten Kamin.

Röros. Davon habe ich ein Bild gesehen. Da liegt es wie ein letztes Lager auf dem Weg zum Ende der Erde, bevor dieser Weg in unwirtlichen Regionen sich verliert, Gegenden so unberechenbar, so bedrohlich, daß man den Vorstoß in sie von Jahr zu Jahr aufschiebt, so daß aus dem Lager ein ewiges Herbstquartier geworden ist, bewohnt von alternden Forschern, denen ihr Ziel aus dem Auge entschwunden ist; die es vergessen haben und nun vage nach den geographischen Ursprüngen einer Schwermut forschen – einer nördlichen Variante, denn die südliche ist seit langem erforscht und ausgewertet – einer Schwermut, nach der man schon lange fahndet, die man aber nicht in den Griff bekommt, obgleich sie in den Ecken der hölzernen Häuser steckt und in den dürren Gärten dahinter und als ein Wind, weder kalt noch warm, durch die Straßen weht. Ich sehe ihn da wehen. Ganz in der Ferne zieht über den Wäldern, hinter einem schweren, hängenden Himmel, ein früher Winter herauf, auf den man aber eingerichtet ist. Ein Bahnhof war auf dem Bild nicht zu sehen, es war ausweglos. Allerdings Telefonmasten.

Von Elverum und Tynset dagegen weiß ich nichts, aber auch sie verheißen etwas vielleicht weniger Elverum, das die Endung eines Neutrum hat, als Tynset. Ja, Tynset, wegen des Ypsilon. Wo ein Ypsilon ist, da steckt nicht selten ein Geheimnis, oft aber auch nur Mythologie. Tynset indessen klingt nicht nach Mythologie, dann schon eher Röros. Hätte ich das Bild nicht gesehen, so wäre mir bei diesem Namen eine Insel erschienen, an deren Strand die Geliebte eines Gottes aus Schaum geboren wurde und schon längst wieder zu Schaum geworden ist, sie hat sich im Verlangen nach Unsterblichkeit verzehrt.

Hamar dagegen. Da bin ich einmal gewesen, aus Zufall, wie in vielen Orten. War ich allein? Ja, ich war allein. Ich kam, soweit ich mich erinnere, aus Lillehammer. Hamar hat ein Eisenbahnmuseum, dort war ich aber nicht. Warum nicht, das ist mir entfallen, an sich interessiere ich mich für Eisenbahnen. Ich erinnere mich an gußeiserne Straßenlaternen, an angenehme aber nicht an rühmliche Eigenschaften, eine Postkarte wert, aber nicht zwei. Ein Ort, an dem wenig gewesen ist, und der auch nicht eben viel Zukünftiges verheißt, den man aber auch wieder nicht umfährt. Ein Bischofssitz. In einem Bischofssitz tritt irgendwo immer der Bischof in Erscheinung, im verfärbten, von Taubendreck nicht zu entwürdigenden Sandstein eines verdienstvollen, fortschrittlichen Vorgängers, der sogar Fußball spielte und damit seiner Kirche neue Richtungen wies, in der strengen Metallfassung einer Brille hinter zugezogenen, gestärkten Gardinen, in den buchführenden Augen dahinter, oder im Blick eines Wirtes, der stolz darauf ist, daß in seinen Räumen kein anstößiger Spaß entsteht. Und doch ist auch Hamar nicht ganz ohne Geheimnis, wie es da liegt, locker gefügt aus Holz und Stein und nirgends Marmor, zwischen Bergen und Bäumen und Felsen, mit dem Eisenbahnmuseum und dem Bahnhof und seiner Hauptlinie südwärts nach Oslo und Anschluß nach Göteborg und nordwärts nach Trondheim und weiter, weit über den Polarkreis hinaus, und seiner Nebenlinie nach Stören über Elverum, Tynset und Röros, und noch ein paar weiteren Nebenlinien, die, außerhalb der Stadt, in jähen, ausholenden Kurven, jede in einem großen, runden Schwung, wie nur Schienenbauer ihn fertigbringen, denn nur sie haben das Gelände zur Verfügung, hinten im Nadelwald verschwinden und wer weiß wohin führen. Damals, es war wohl November oder Oktober, führten sie alle in den Nebel, durch den auch ich gestoßen sein muß, auf dem Weg aus Lillehammer, ein Weg wie ein Fragezeichen. Vielleicht sind es auch nur Nebel und Nebenlinien, die mir den Ort jetzt, nachträglich, als nicht ganz ohne Geheimnis erscheinen lassen; in der Tat, das Bild verliert, während ich seine Bestandteile suche und es zusammensetze, an Kontur, an Inhalt und Farbe. Diesen Erscheinungen stehe ich auch heute kritischer gegenüber, das ist es vielleicht: es gilt sorgfältig zu sichten, was Geheimnis ist, und was Nebel. Ich sollte versuchen, eine Nebelgrenze zu setzen, endgültig.

Dabei fällt mir ein: vor einiger Zeit las ich in der Zeitung vom Tod einer berühmten Wagnersängerin, – ich habe vergessen, welche es war, aber das ist ja auch nicht wichtig, eine ist wie die andere, man kann sie schwerlich auseinanderhalten, wenn man sich nicht beruflich damit beschäftigt, und alle erreichen sie mühelos Sieglindes hohes cis, ja, an ihm werden sie sogar gemessen, cis ist der Maßstab, ihre Gagen stehen in einem genau bemessenen Verhältnis zur Länge ihres Atems auf diesem Ton – jedenfalls: diese Sängerin, die mit dem Vornamen Karin hieß, oder Kerstin oder Kirsten oder Karstin oder Karsten, war in Hamar geboren, und zwar, wenn ich nicht irre, in bescheidenen Verhältnissen aber als Kind musikalischer Eltern – der

Vater sang bei der Arbeit – Eltern, die das Talent frühzeitig erkannten und ihm, natürlich unter erheblichen materiellen Opfern, frühe Förderung zuteil werden ließen, das Elternhaus blieb immerwährend Quelle der Dankbarkeit, etcetera, so war es, glaube ich, das ist jedenfalls das Schema. Diese Sängerin nun, so scheint es mir, fügt zu den geringen Eigenschaften des Ortes doch noch eine hinzu, allerdings keine gute: sie rückt ihn in eine, wenn auch noch ferne, Ecke des Gesichtskreises einer Schicht von Entdeckern aus Bayreuth, aus Wien und New York. Hamar wird somit Fang ihrer periodischen Seitenblicke, Objekt geheimer Beobachtung, ein Posten in der Kalkulation bei Besetzungsproblemen. Dieses Wort gefällt mir nicht, aber so heißt es: Besetzungsprobleme. Es gibt heute, glaube ich, schon über zehntausend verschiedene Probleme. Es liegt also auf Hamar ein Augenmerk, denn wo ein Naturtalent gewachsen ist, da ist der Boden für derlei fruchtbar, da mögen jederzeit andere wachsen, dagegen läßt sich nichts tun, und selbst wenn sich etwas dagegen tun ließe, so gäbe es wohl kaum einen, der es täte.

Soweit Hamar. Ist dazu noch etwas zu sagen? Ich glaube nicht. Doch. Im letzten Krieg hat der deutsche Kommandant dreizehn Einwohner an

Laternenpfählen aufhängen lassen. Siebzehn Einwohner waren zu einem solchen Tod auserlesen, aber der Kommandant war in Eile, daher erschoß er die letzten vier, einem Befehl von oben vorgreifend, eigenhändig. Sonst ist zu Hamar wohl nichts mehr zu sagen –, Bischofssitz – Nebenlinien – Eisenbahnmuseum – Straßenlaternen – Wagnersängerinnen – nein, sonst nichts, das ist alles, damit wäre Hamar erschöpft.

Es ist spät. Ich will versuchen zu schlafen, aber irgend etwas hat mich aufgestört, ich habe schon vergessen, was es war, und ich will versuchen, mich nicht daran zu erinnern; will versuchen, sanft in andere Bahnen zu gleiten, an anderes zu denken, ich will hoffen, daß dieses andere nicht auch etwas Verstecktes enthält, das mich aufstört. Für den Gang durch das Haus ist es noch zu früh, das kommt später, wenn ich später noch immer nicht schlafen kann. Ich spare, ich schiebe meine nächtlichen Handlungen vor mir her. Später also werde ich aufstehen und durch das Haus gehen.
Ich stehe nachts mehrmals auf und gehe mindestens einmal durch das Haus, ich durchquere das große hölzerne Zimmer nebenan, in dem nichts ist als eine große angespeicherte Pause und ab und zu das hölzerne Geräusch und das Plätschern eines

Brunnens, gehe durch die Bibliothek, bei deren Bücherwänden ich mich aufhalte oder nicht, betrete das steinerne Treppenhaus, wo ich, wenn es nicht zu dunkel ist, Hamlets Vater begegne –

er steht oben, am obersten Treppenabsatz und sieht auf mich herab, in müßiger Erwartung, daß ich mich ihm nähere, mein Knie beuge und seine Hand küsse und somit eine Beziehung anknüpfe, die damit enden würde, daß er mich an Sohnes Statt annähme, denn sein eigener Sohn hat ihn enttäuscht. Darauf wartet er, der alte Krieger. Er sieht mich an, als wolle er mir bedeuten, daß ich ihm etwas schulde, aber er irrt, ich schulde ihm nichts. Ich werde ihn aber nicht auf seinen Irrtum hinweisen, denn damit wäre eine Beziehung angeknüpft, und er hätte das Spiel gewonnen.

Vorbei also an diesem Blick, diesen Augen, hindurch unter ihrem erloschenen Strahl, und in den hinteren Schuppen, den zyklopischen Raum, wo im Sommer und im Herbst die Gewürzkräuter zum Trocknen hängen. Hier riecht es gut. Ich steige hinauf zum Fernrohr oder nicht, verlasse den Schuppen, betrete die Küche oder nicht, gehe die Treppe hinauf, ich sehe in die vier Zimmer im ersten Stock, in deren einem mein ungeheuerliches Sommerbett steht.

Hier schlafe ich im Sommer, erhöht, erhaben und luftig, in einer von Holz eingefaßten, vor Stille rauschenden Leere, hier also ist der Ausgangspunkt meiner sommernächtlichen Gänge, im Winter verweile ich hier selten, meist suche ich mir ein anderes Zimmer aus, eines, das voller Gegenstände steckt, und steige die Treppe wieder hinab. Höher hinauf gehe ich niemals, nicht nachts, nicht wegen Hamlets Vater, der sich meist inzwischen aufgelöst und nichts zurückgelassen hat als eine dünne Säule von verletztem Stolz –, nicht seinetwegen also, sondern weil es ganz oben nur noch ein einziges Zimmer gibt, das ist Celestinas Kammer, die betrete ich nicht. Von unten höre ich darinnen ihr Schnarchen, oder ich höre nichts, das bedeutet, daß sie vor einer Flasche Rotwein sitzt oder mit ihr im Bett liegt und trinkt. Oder ich höre sie murmeln, das bedeutet, daß sie betet.

Celestina trinkt viel, und sie betet viel. Sie trinkt weil sie trinkt, und sie betet, weil sie an Gott glaubt und fromm ist –, nein, nein: ganz so einfach, ganz so ›ohne Warum‹ ist es eben doch nicht: ihr Verlangen nach Wein muß einmal angefangen haben, wie auch ihr Verlangen nach Gott. Aber im Gegensatz zu diesem, dem anerzogenen Verlangen, mit dem keiner auf die Welt kommt, der gezüchteten Sehnsucht, die sich schließlich verwandelt und als Überzeugung niederschlägt, die Gruseln und Schwelgerei beschert und sich als eine Schicht, undurchlässig und erhärtend, auf Sinne und Organe legt, beruht jenes, Celestinas Verlangen nach Wein, auf einem Geheimnis, das sich mir wahrscheinlich niemals enthüllen wird. Ich glaube, daß sie eine entlaufene Klosterschwester ist. Ich mag mich irren, ich habe sie nicht gefragt, und ich werde sie auch nicht fragen, werde daher wohl auch niemals erfahren, ob es sich wirklich so verhält, und ob sie entlaufen ist, weil sie trinken mußte, oder ob sie zu trinken begann im Versuch, diese Schande oder eine andere Schande, vielleicht gar eine Todsünde aus ihren Gedanken zu tilgen. Jedenfalls kommt sie jetzt aus dem bösen Zirkel nicht mehr heraus, er hat sich geschlossen, lückenlos. Morgens ist sie nicht imstande, zur Frühmesse zu gehen, jeder Tag also wird aus einer immerwährend rieselnden Quelle mit frischer Schuld gespeist, und diese Schuld breitet sich aus, lähmt ihr den Geist und treibt ihr den Körper zu heftiger, schuldverdrängender Arbeit an, die sie, der Heftigkeit des Impulses entsprechend, vorbildlich tut. Gegen Nachmittag aber läßt die Kraft des Körpers nach, und im gleichen Verhältnis zu diesem Nachlassen steigt wieder die

Schuld, unverdrängt, unverdrängbar, und damit das Verlangen nach Wein und nach Vergebung, niemals gestillt, und immer häufiger unterbricht sie dann ihre Arbeit, um – wo sie auch sei: in der Küche oder in einem Zimmer, im Garten, im Hof – entweder zu trinken oder zu beten oder beides gleichzeitig zu tun. So schleppt sie sich wankend durch den Nachmittag, mit zunehmender Mühe, bis sie nicht mehr imstande ist, zur Vesper in die Kirche zu gehen. Manchmal versucht sie es, aber ihre Beine tragen sie nicht weit, sie kehrt um und versucht, zuhause zu beten ohne zu trinken, indessen die Worte versagen sich ihr, der Sinn entzieht sich, es gelingt ihr nicht, und in Verzweiflung versinkt sie mit einer Flasche im Bett und trinkt und versäumt den Rosenkranz, die letzte Gelegenheit der Versöhnung mit ihrem Schöpfer, der sie zur Trinkerin gemacht hat. Nachts erwacht sie, füllt das Rauchfaß, zündet den Weihrauch an und betet und trinkt und betet und trinkt und legt sich wieder hin und verfällt in trunkenen Schlaf, aus dem sie zu spät erwacht, um zur Frühmesse zu gehen, geschlagen und zerstört.

Celestina geht also nicht mehr in die Kirche, sie windet sich in Sünde durch ihren Tag, eingeengt und bedroht vom Dröhnen der Glocken, die sie auch eines Tages zur Strecke bringen werden, ver-

folgt von den Augen des Priesters, angefaßt von feisten Händen, spitzen Fingern, die unter dem Kleid
ihre Sünden betasten und mästen für den Tag des
Gerichtes. Es öffnen sich vor ihr Gitterfensterchen,
hinter denen er sitzt, rotbäckig, mit mächtigem
Kinn und wuchtigem Bauch, und mit einer Absolu-
tion in der tiefen Tasche seiner Soutane spielt. Ich
wollte, ich könnte ihr helfen, aber ich kann es nicht.
Gern würde ich einen Teil der Schuld für sie tragen, ich trage selbst wenig eigene Schuld, sehr
wenig. Aber Celestina, die gibt nichts her, sie nicht,
sie will ihre Last allein tragen, und schließlich hat
sie ja auch ein Recht darauf. Und wer weiß? Vielleicht harrt ihrer, eines Tages in der Ewigkeit, doch
noch ein wenig Lohn von unerwarteter Seite, ein
wenig Gerechtigkeit? Nur ein wenig. Ich wüßte
auch gar nicht, wie ich ihr die Last abnehmen
sollte, diesen Griff beherrsche ich nicht.
Manchmal betrete ich eines meiner Zimmer, darin
herrscht ein leichter Duft von Weihrauch und von
Wein und Wachs, es ist frisch gebohnert, alles ist
aufgeräumt, ordentlich, sauber, nur am Boden, in
einer Ecke, liegt ein Kissen mit dem Abdruck
zweier Knie, und daneben steht ein Becher mit
einer Träne Wein wie der Rest von der Wandlung,
und irgendwo liegt das Mundstück des Staub-
saugers wie eine Blasphemie.

Es ist Schlafenszeit, ich lege das Kursbuch aus der Hand. Ja, ich kam damals aus Lillehammer. Was ich dort getan habe, das weiß ich nicht mehr. Übrigens gibt es dort eine Fabrik, die gute Bruyere-Pfeifen herstellt, es sammeln sich da Blöcke von Wurzelholz, uralt, steinhart, das schon seit Jahrhunderten keinen Baum mehr getragen hat, es kommt vom südlichen Mittelmeer, um hier, in Lillehammer, für den Genuß im nördlichen Winter zurechtgesägt, geschnitten, gebrannt, geblasen, gedreht, gebeizt, gewürzt, poliert zu werden. Vereinzelte schöne Exemplare holt man sich wieder zurück in den Süden, um eine winterliche nordische Erfahrung bereichert. Ich habe meine Pfeife aus Lillehammer in Bologna gekauft, irgendwo enthüllt sich immer plötzlich ein unerwarteter Zusammenhang, dessen Verfolgung allerdings meist in die Irre führt oder enttäuscht.

Tynset. Das klingt nach.
Es klingt hell, gläsern, – nein, das nicht, es klingt metallen. Die Buchstaben sind gut gewählt, sie passen zueinander. Oder scheint es mir nur so? Nein, sie passen zueinander, ich habe Lust, irgend etwas so zu nennen, etwas außerhalb des Ortes in Norwegen, dieser Station an der Nebenlinie von Hamar nach Stören. Aber ich habe nichts zum

Benennen, alles hat einen Namen, und was keinen Namen hat, das gibt es nicht. Im Gegenteil: es gibt viele Namen für Dinge, die es nicht gibt.

Tynset, daran bin ich im Vorbeigehen haften geblieben, dieses Wort umkreisen meine Gedanken, sie kreisen es ein. Dieses Ypsilon! Indem es schräg nach links unter die Zeile ragt und daher zwischen den Zeilen steht, hat es einen Fang ausgestreckt, an dem die Fetzen der Gedanken, müde und in wachsendem Maße bereit, ein Hindernis wahrzunehmen, ja, es sogar willkommen zu heißen, sich weit aufgerissen haben und hängen geblieben sind.

Dabei ist dieses Ypsilon noch nicht einmal recht aussprechbar. Oder zumindest: es ist Sache des Zufalls, ob dem Mund die Stellung gelingt, um der Stimme den Laut zu erlauben. Das, neben seiner Schräge, hebt das Ypsilon von allen anderen Buchstaben ab, macht es zu einer trügerischen Komponente inmitten lapidarer Tatsachen. Da liegt es denn, auf dem Weg zwischen I und Ü, liegt genau auf der Mitte, aber das Ü selbst liegt auf der Mitte eines Weges, es liegt auf der Hälfte des doppelt so langen Weges von I zu U. Die zweite Hälfte dieses Weges, die Strecke von Ü zu U, hat keine Mitte, hat kein Zeichen, das sie markiert. Hier liegt nichts, liegt Schweigen, liegt, im wahren Sinne des

Wortes, das Unaussprechliche, hier beginnt es, in diesen unscheinbaren Dingen tritt es plötzlich hervor, um dann in den scheinbaren ins Unermeßliche anzuwachsen, ins Entsetzliche.

Indessen, wenn ich es mir recht überlege – richte ich mich ein in diesen Überlegungen – wenn ich mir den Namen Tynset nicht nur von unten sondern von allen Seiten betrachte, so stelle ich fest, daß sich seine Anziehungskraft bei weitem nicht in seinen Buchstaben erschöpft, das Ypsilon ist nur der Blickfang, und die anderen sind nur die Gitterstäbe, hinter denen das Geheimnis sich verbirgt. Aber es ist damit nicht bloßgelegt, geschweige denn gelöst. Zerlege ich das Wort in seine beiden Silben, so habe ich zuerst das »Tyn«, einen hohen Gongschlag, Beginn eines Rituals in einem Tempel, leer bis auf die Gegenwart des einzigen, in sich selbst versunkenen Zelebrierenden, sehr fern, ferner als Griechenland, wo man allerdings noch Leute findet, die das Ypsilon aussprechen können –, habe also das »Tyn«, das sich alsbald, jäh aus seinen Vibrationen gerissen, mit dem »set« setzt, als sei das Schwingen des tynneren Beckens von einer kurzen, schnellenden Bewegung eines einzigen flinken Fingers zum Stillstand gebracht und damit seinem Dröhnen ein strenges Ende gesetzt: Tynnn-Settt.

Früher, als ich noch in der Stadt wohnte, und in Deutschland, früher habe ich nachts hin und wieder gern im Telefonbuch gelesen. Auch dieses besitzt einen gewissen Wert, der – allerdings nur bis zu einem beschränkten Grad – über den absoluten Nutzwert hinausgeht. Es ist, im Ganzen, ein Buch, das keine Zeit verliert, ein Buch voller gedrängter Wiedergabe von Tatsachen, nirgends begibt es sich auf den Boden der Spekulation, und doch findet sich auch hier manches zwischen den Zeilen, das eine Geschichte erzählt, manches Firmenschild, das klingt wie geprägtes Kupfer an einem Marmorportal und doch nichts anderes ist als der müßige Griff eines Scheiternden oder eines Versagers nach einer erlauchteren Welt oder eines windigen Bruders nach fester Währung. Auch glaubte ich hier und dort das vergebliche Streben eines Teilnehmers zu spüren, sich über die Eintönigkeit seiner Angaben zu erheben, seine Nummer abzustreifen und etwas Unbekanntes dafür einzutauschen, und sei es auch das Wunderbare nicht, sondern nur ein Platz näher zu ihm, ich meine dem Wunderbaren.

Wie dem auch sei: im Gegensatz zum Kursbuch stellt das Telefonbuch seinen Gegenstand nicht erschöpfend dar – nein, ich irre, ich drücke mich falsch aus: im Gegensatz zum Kursbuch, das ein vollständiges Bild der Gesamtheit einer großen Einrichtung vermittelt, nämlich des Gebietes der Beförderung von Personen mit der Eisenbahn vermittelt das Telefonbuch nicht das Gesamtbild eines ungeheuerlichen Gebildes: einer Stadt. Ja, das ist es: die Dokumentation ist nicht vollständig, es klaffen Lücken, in denen jene sitzen, die kein Telefon haben: die kleinen Lücken einer dritten Etage, in der abgeschafft wird, in der es bröckelt und blättert und gilbt, größere Lücken, Hinterlassenschaften verstorbener Ernährer, und die großen Lücken ganzer Straßenzüge von offenem, entwaffnendem Elend, das grinsend eine eiternde Hand ausstreckt, um den Lohn für den Anblick der Entstellung zu fordern; es fehlt das schadenfrohe Lächeln einer Geheimnummer, der abgewandte Blick des Außenseiters, der das Telefon verschmäht, und die Gefallsucht des feinsinnigen Verächters, der schon seit je auf seinen Anschluß verzichtet hat, um sich seiner Mißachtung rühmen zu können, alle diese sind von den Tintenfingern der Ämter nicht erfaßt.

So ist es, im Ganzen, langweiliger trauriger Lesestoff, beschwört wenig herauf, gibt nur Bekanntes wieder, Abgegriffenes, das Vergessene und das Verdrängte, die beleuchteten Fenster der Hochhäuser, dahinter die Dramen von Untreue, Erb-

schleicherei und der langsame aber vorbedachte
Mord, die beleuchteten Gartentore für Gäste und
die Gäste selbst, die Hintertüren für Dienstboten
und die Dienstboten, die Gitter gegen Hausierer
aber nicht die Hausierer, die bangen gescheuerten
Wartezimmer, in denen der Tod sein erbarmungs-
loses Auszählspiel spielt, und den Tod selbst, und
die Schalterreihen, dahinter der leise Tritt der Bosheit in schütterem Haar und Ärmelschonern, und
davor das flatternde Gewissen des eingeschüchter-
ten Hinterziehers, der selbst gern eingeschüchtert
hätte, der es anderorts auch tut; die lächerlichen
Scheingeheimnisse der Chiffren und des Code, von
Ämtern und Firmen ausgeheckt und zwar, wie
man sagt: »fachmännisch«, der Nachtdienst der
Apotheken, das blaue Nachtlicht der Krankenzim-
mer, in denen kein einziges Leben gerettet wird,
wenn es verwirkt ist, das Stirnrunzeln und Kopf-
schütteln im weißen Kittel, die Nachtstreifen der
Polizei auf Suche nach der Verzweiflungstat, die
verjährten und pensionierten Verbrecher im Kreise
ihrer Schwiegerkinder und Enkel, die zugeschla-
genen Türen, die endgültigen Zerwürfnisse, vergebliche Hoffnungen, Empörung, Trauer, Angst.

Dennoch konnte ich es mir nicht versagen, hin und
wieder zum Telefon zu greifen, um diesen oder

jenen anzurufen. Ich wollte mich von der Verläßlichkeit des Buches überzeugen, wollte die Stimmen hören, die Namen. Es war eine Probe, die
zwar immer – und nicht anders hatte ich es erwartet – positiv ausfiel, zumindest insofern als die
Angaben im Buch mit den gewählten Nummern
und den numerierten Namen übereinstimmten,
die aber dennoch meist unbefriedigend war und
sein mußte, weil die Inhaber der gewählten Nummern um die Nachtzeit – und damit ihre einzige
Schlafenszeit – nicht gewillt und wohl auch, auf
solche Weise aufgestört, oft nicht fähig waren, sich
in der Eigenschaft zu offenbaren, in welcher das
Buch sie anführte, und natürlich kam es auch vor,
daß es mir nicht gelang, mein Gegenüber zur
Enthüllung auch nur eines Teiles seiner Identität
zu bewegen.

Eines Nachts stieß ich im Telefonbuch auf den Bewohner eines mir schräg gegenüberliegenden
Hauses. Ich kannte ihn nicht. Ich glaube, er hieß
Huncke oder so ähnlich. Ich rief ihn an, es war
schon spät in der Nacht. Ich sah hinter einem Fenster im zweiten Stock Licht aufleuchten, und sofort
darauf meldete er sich. Er wollte mir zunächst seinen Namen nicht nennen. Warum ich ihn nun un-
bedingt hören wollte, das weiß ich heute nicht

mehr. Ich nahm Ton und Worte einer dringlichen aber wohlgesinnten Mahnung an, die ihm bedeuten sollte, daß ich das Beste des Mannes im Auge habe, den ich erreichen wolle; daß ich aber auch – und das werde er ja doch verstehen – gewiß sein müsse, den Mann erreicht zu haben, dessen Bestes ich wollte. Das schien ihm einzuleuchten, und, wahrhaftig, so vorgetragen, hätte es auch mir eingeleuchtet, wäre ich dieser andere gewesen. Er nannte mir seinen Namen. Damit war das Ziel erreicht. Plötzlich jedoch war mir dieses Ziel nicht mehr genug. Ich wollte mehr hören, wollte Unbekanntes prüfen.

Ich sagte: »Sie sind es also, Herr Huncke«, und er sagte nun, in einem Ton, als sei er plötzlich seiner Identität nicht mehr ganz so sicher: »Ja – – warum?« und als ich nach einer Antwort suchte, fragte er: »Was wollen Sie von mir?« Ich hörte, wie hinter – vielleicht berechtigter – Feindseligkeit ein empfindliches Gewissen zu flattern begann, aber eine Antwort fiel mir nicht ein, was wollte ich von ihm? Ich wollte etwas von ihm wissen, ich war wach, war interessiert. Ich fragte, und zwar, wie mir schien, freundlich: »Fühlen Sie sich schuldig, Herr Huncke?« Schließlich hätte jedermann mich das Gleiche fragen können, und ich hätte gesagt:»Nein«, auch dem Fremdesten hätte ich geantwortet:»Nein, ich nicht.« Anders Huncke. Seine Stimme zitterte, als er nun sprach, seine Schuld war aufgerufen, war plötzlich ins Unermeßliche angewachsen, er zischte unter dem Atem: »Warte nur! Bald sind wir wieder da! Dann geht es Euch an den Kragen!«

Ich weiß nicht, wen er mit »Euch« meinte, jedenfalls war dies eine neue Erfahrung, so wenig abgenutzt, daß ich mich noch überlegen fühlte, ich war ganz Herr meiner Absicht, ich legte Gewicht auf meine Stimme, sie schwang durch die Nacht, als wolle sie Herrn Huncke ohne Telefon erreichen, ich sagte: »Herr Huncke, hören Sie mir jetzt bitte gut zu: es ist alles entdeckt. Alles, verstehen Sie? Ich möchte Ihnen daher raten: fliehen Sie, solange Ihnen noch Zeit bleibt!« Er hängte ab, ich hängte ab, und sofort darauf leuchtete drüben ein zweites Fenster auf, dann ein weiteres und noch eines, das Haus wurde hell wie ein Opernhaus zur Zeit der Pause, und kaum eine halbe Stunde nach dem Gespräch fuhr ein Taxi vor, das Opfer meines Anrufs trat aus dem Haus, zwei Koffer am Arm, bestieg das Taxi und fuhr davon. Ob Herr Huncke eine Frau hinterließ, weiß ich nicht, jedenfalls nahm er sie nicht mit, und weder sie noch ein anderer löschte das Licht im Haus. Die ganze Nacht blieb es hell erleuchtet, und die nächste auch. Aber dann wurde es wieder dunkel und blieb dunkel, zumindest so lange ich gegenüber wohnte.

Ich habe dieses Spiel dann noch einige Male wiederholt. Ich weiß natürlich nicht, ob mir immer dieser Erfolg beschieden war, ob die so Gewarnten stets ohne Zögern nach den Anweisungen handelten, die ihnen ein anonymer Verweser ihres Gewissens über die nächtlichen Drähte zuflüsterte, denn die meisten Fälle entzogen sich durch die Entfernung einer Übersicht, und nur in einem einzigen dieser unüberblickbaren Fälle war ich mir des Erfolges gewiß: ich fand im Telefonbuch einen Mann, der Gottfried Malkusch hieß, er war Druckereibesitzer. Ihn rief ich an. Das Telefon wurde sofort abgehoben, und der Angerufene gab mir sofort seinen Namen an. Offensichtlich hatte er, trotz der vorgerückten Stunde, auf einen Anruf gewartet. Ich sagte, diesmal atemlos und flüsternd und ohne Umschweife: »Herr Malkusch, es ist alles entdeckt.« Nach einer Sekunde sagte er heiser: »Nein.« – »Ja«, sagte ich, »alles, leider.« – »Also doch!« – »Alles«, wiederholte ich, diesmal mehr wie ein beteiligter und damit betroffener Mitwisser als wie ein Warner. – »Und jetzt?« fragte er. – »Malkusch«, flüsterte ich freundlich, denn nun tat er mir beinah ein wenig leid, »Malkusch, fliehen

Sie, bevor es zu spät ist!« – Wieder eine Pause der Ratlosigkeit, dann: »Habe ich Zeit, ein paar Sachen einzupacken?« – »Ich fürchte nicht«, flüsterte ich, denn plötzlich tat er mir nicht mehr leid, »nein, Malkusch, ich würde es an Ihrer Stelle nicht tun.« – Und dann sagte er: »Danke, Obwasser«, – ja, »Obwasser« nannte er mich und hängte ab, und ich bin beinah gewiß, daß er nichts eingepackt hat.

Zwei weitere Nachtgespräche legte ich in meinen Umkreis. Ich wollte wieder prüfen. Die Namen habe ich vergessen. Einer, der mir direkt gegenüber wohnte, flüsterte nur, obgleich im Hintergrund ein Radio oder ein Plattenspieler die Eroica spielte, er machte auch kein Licht, das Haus blieb dunkel, bis auf den Schein der Taschenlampe, die hinter der Fensterfassade durch die Stockwerke huschte, vom Dachboden bis zum Keller. Eine Stunde etwa nach dem Anruf trat er in Mantel und Hut und mit einem Violinkasten in der Hand aus dem Haus, ging in den Garten, nahm, soweit ich sehen konnte, einen länglichen Gegenstand aus der Tasche, vergrub ihn mit den Händen in der Erde, dann trat er, die Hände mit dem Taschentuch abreibend, aus dem Gartentor, zog einen Brief hervor und steckte ihn in seinen eigenen Briefkasten, stand dann eine Weile zögernd auf der Straße, sah abwechselnd in beide Richtungen, als fiele die Wahl des Weges ihm schwer, und ging in der schließlich gewählten Richtung davon, sein Schritt gewann allmählich an Sicherheit, schon nahm ein neues Ziel Gestalt an.

Der Andere war ein Nachbar. Ich konnte nicht sehen, was geschah, aber ich spürte wachsenden Aufruhr im Haus nebenan, keine Stimmen oder Worte, kein Türeschlagen, aber eine Erregung hinter den Mauern, Andeutungen dumpfer Warnungen, gezischter Anweisungen, letzter Anklagen vor der Trennung, schluchzend zur Kenntnis genommen, dann leises Anlegen der Haustür, laut eine quietschende Garagentür, die alle Vorsicht zunichte machte, ein hartnäckiger böser Anlasser – der Mann floh im eigenen Wagen – und, einige Minuten nach der Abfahrt, ein schriller gellender Ruf im Haus, ›Artur! Artur!‹ – Wer mit dem Ruf gemeint war, weiß ich nicht, vielleicht vollzog sich hier ein parallel laufendes Geschehen, das mit dem von mir entfachten nichts zu tun hatte, denn der von mir gewarnte Flüchtende hieß nicht Artur. Er hieß, wie ich mich jetzt, plötzlich, erinnere, Erhard. Erhard Selbach hieß er. Seine Nummer war sechs-null-sieben-vier-vier. Sinnlose Erinnerung!

Nun kräht er, der Hahn. Zweimal, dreimal. Jetzt beginnt er, der Freund, den ich allnächtlich erwarte, der meine Nächte belebt, mein Gefährte, mein ferner guter Gesell.

Er ist auf einem nachbarlichen Hof. Sein Ruf klingt dem Kikeriki des Kinderverses ähnlicher als die meisten Hahnenrufe, die ich gehört habe, und ich habe viele Hahnenrufe gehört. Er klingt, als sei er am Kinderbuch-Hahn modelliert. Wie dieser betont er die ersten drei Silben mit gleicher Stärke, um dann auf die vierte Nachdruck und eine Fermate zu legen, auf das letzte Ki. Dieses klingt auf einem diminuendo aus und verklingt. Sein Ruf gleicht demnach im Rhythmus – und übrigens auch in der pathetischen Kraft des Vortrags – dem Anfang der fünften Symphonie von Beethoven. Gegen Morgen wird er dann ein wenig heiser, ohne aber an Lautstärke wesentlich zu verlieren. Manchmal, wenn der Wind aus Südost kommt, höre ich noch einen zweiten Hahn, der ihm antwortet. Er ist weiter entfernt, ihn höre ich leise, zwischen Windstößen, die seinen Ruf tragen, bis er sich auflöst, eine Schaumkrone zwischen zwei Wellen. Den Hahn oder, im Fall der entsprechenden Windlage, die Hähne, höre ich also die ganze Nacht, wenn ich nicht schlafe, aber sie stören mich nicht. Wenn ich schlafe, wecken sie mich nicht, und wenn ich erwache, beunruhigen sie mich nicht. Daß Hähne nur bei Morgengrauen oder bei Sonnenaufgang krähen, ist, wie ich allerdings erst allmählich festgestellt habe, eine dichterische Lüge, wenn auch – wahrhaftig – eine der geringsten. Ich zähle dann, während die langen Stunden sich dehnen, die Sekunden zwischen Ruf und Gegenruf. Die Länge der Pause ist immer verschieden, manchmal erfolgt die Antwort erst viel später, und oft denke ich, daß die beiden Hähne vielleicht gar nichts miteinander zu tun haben, einander gar nicht hören, einzig ich, der ich sie beide höre, sei das stumme, passive Bindeglied zwischen zwei Kreaturen, die der Einsamkeit zäher nächtlicher Zeit ausgesetzt sind, und eine jede krähe für sich, in ihrem eigenen toten, dunklen Raum, und jeder Raum sei durch die Dichte der Dunkelheit vom anderen getrennt. Aber so ist es nicht: sie haben sich, der Entfernung trotzend, zusammengetan, um Angst und Einsamkeit gemeinsam zu überwinden, die sie wachhält, während ihre Hennen schlafen oder nächtliche Eier legen. Diese Angst verleiht ihnen sogar eine Würde, eine nächtliche Würde, die sie tagsüber nicht haben. Denn tagsüber, wenn sie, geschwollen und gestutzt, zwischen Hennen stelzen, um wahllos irgendeine, die ihnen über den Weg läuft, beiläufig zu begatten, sind sie bar

aller Würde, sie begeben sich der Größe eines einsamen aufrechten nächtlichen Rufers, sie sind von
männlicher Lächerlichkeit.

Aber aller Trieb weicht der Nacht, und mit ihr
einer menschlichen Angst. So steht denn mein
Hahn, einsam, auf seinem Hof und tut sich mit
einem anderen zusammen, um der Angst Herr zu
werden –, und wahrscheinlich schließen sich diesem Zwiegespräch andere Hähne an, die ich nicht
mehr höre, entstehen sich weitende Kreise, Ringe
von vielen Hähnen, die über große Entfernungen
wirken, ja, ich bin sogar sicher, daß es sich so verhält, seit ich die Hähne Attikas gehört, seit ich
mein großes griechisches Konzert entfacht habe,
um meine Angst zu überwinden –

Angst? Ja, Angst vor der Stille der Nächte, in denen jene Gestalten am Werk sind, die keine Angst
verspüren.

Heute hat sich diese Angst gelegt, seit ich mich
ihnen entzogen habe, das heißt, entzogen habe ich
mich ihnen nicht, ich bin ihnen nur weiter
entrückt, bin in ein anderes Land geflohen. Ich
meine noch nicht einmal die wenigen, die meiner
telefonischen Warnung folgten und flohen, denn
die haben etwas auf dem Gewissen und sind daher
jenen vorzuziehen, denen das Gewissen fehlt.

Meine Gedanken haben damals, zur Zeit meiner Anrufe, manches Opfer auf seiner Reise begleitet. Heute allerdings denke ich, daß meine begleitenden Gedanken ein allzu gewichtiger Kontrapunkt waren zu der hingepfiffenen Marschmelodie einer solchen Flucht. Ich sah – es ist beinahe lächerlich – ich sah meine Opfer an irgendeinem Tatort, kauernd in Schuld und vor einer zermürbenden Erkenntnis, oder ich sah sie in der Wildnis einer Wüste barfuß und in härenem Hemd den Pfad einer Läuterung treten, während sie in Wirklichkeit irgendwo beim Bier saßen oder bei Sekt – ja, das ist es: bei Sekt saßen sie natürlich und beim Gewinn von Zeit und einer neuen Geliebten, die ihnen diese Zeit bis zur Rückkehr vertreibe. Ich weiß nicht, ob oder wann meine Opfer zurückgekehrt sind, aber ihr schnelles Handeln auf meinen Anruf deutete in jedem Fall darauf hin, daß es Männer waren, die sich überall zurechtfinden, an jedem Ort ihre Pfähle einschlagen und eine neue Existenz aufbauen, Meister ihres Schicksals und meist auch des Schicksals anderer. Wahrscheinlich habe ich keinen von ihnen in seiner ersten Existenz ertappt, sondern nur eine Erinnerung daran in ihnen wachgerufen, aber immerhin – geringer Triumph – eine Erinnerung, die sie abzustreifen suchten.

Anders die beiden Männer ohne Angst, die nichts abzustreifen suchten, die letzten beiden Anrufe, der erste Warnung, der zweite Drohung und damit jäher Abschluß meiner Telefonate und damit eines Lebensabschnittes.

Ich stieß im Telefonbuch auf den Namen Obwasser, und ich entsann mich des Gespräches mit jenem Malkusch, der mich für Obwasser gehalten hatte. Die Ähnlichkeit wollte ich prüfen. Ich rief ihn an, es war nach zwölf Uhr nachts. Auch er meldete sich sofort. »Karl Dietrich Obwasser«, sagte er, die letzten beiden Silben in einem glissando die Tonleiter hinauf, es klang wie eine hochtrabende Frage, die einer nichtigen Antwort vorgreift, und es ist mir rätselhaft, wie irgend jemand, dazu noch offensichtlich ein Mitverschwörer wie Malkusch, meine Stimme für die seine hatte halten können. Ich flüsterte: »Obwasser, passen Sie gut auf . . .« – Aber er unterbrach mich: »Wer spricht dort? Skowronek?« – »Nein –«, sagte ich, es gelang mir, Ungeduld anzudeuten, »nicht Skowronek . . .« – »Ach so: Dönitz!« – »Nein«, sagte ich, »nein, hier spricht Malkusch!« – »Malkusch?« sagte er, nun hastig und gedämpft, »ich dachte, Sie seien schon längst . . .« – »Noch nicht«, sagte ich, »noch nicht. Aber man ist mir auf der Spur, und Ihnen auch, Obwasser. Alles ist entdeckt, verstehen Sie? Al-

les!« – Jetzt verlor seine Stimme den Ton, jetzt
hätte auch Malkusch sie mit der meinen oder irgendeiner verwechseln können. »Auch Depot acht-
zehn?« – »Das ohnehin«, sagte ich, »auch Depot
neunzehn.« – »Das ist doch nicht möglich, Malkusch«, flüsterte Obwasser. – »Und zwanzig«,
flüsterte ich, und das war mein Fehler. Ich will
nicht sagen, daß ich ein großes Geheimnis erfahren hätte, aber vielleicht doch etwas Kleines, etwas
in seiner Schäbigkeit Erfahrenswertes. Es folgte
eine kurze Pause, dann fragte Obwasser mit ko-
chendem aber verhaltenem Argwohn in der Stimme: »Wer spricht dort?« – und ich hängte ab.

Und der letzte war Kabasta. Heute begreife ich
meinen Mut nicht mehr, ihn anzurufen, und nicht
mehr meine Hoffnung, in einem solchen Mann
auch nur das geringste Schwindelgefühl zu er-
regen. Er war der einzige Partner in meinem Spiel,
von dessen Existenz – einer furchtbaren Existenz –
ich vorher gewußt, und dazu der einzige, den ich
jemals gesehen hatte; das war irgendwo in einem
Dorf, in der Gegend, deren Landrat er damals
war, in einem Gasthaus, nein, in einem Gast-
garten, an einem Nebentisch, in einer Jagdgesell-
schaft, die saß lachend und breit und ganz in Grün
im Grünen, unter keuchenden Hunden, sie trank

Korn und Bier, aß etwas Schreckliches, Schlacht-
platte, saure Schweinsnieren, Blutwurst, er erzählte eine lange Geschichte aus dem Krieg im
Osten oder auch im Westen, hob dabei mehrmals
den rechten Arm und zeigte seine gespreizte rechte
Hand, die war groß und rot und blond. Er sagte
mehrmals »mit dieser Hand« oder auch »mit dieser meiner Hand«, aber was dann kam, konnte ich
nicht verstehen, die Betonung lag auf »dieser
Hand«, die immer größer wurde und röter.
Ich rief ihn um zwei Uhr morgens an, auch er
meldete sich beinah sofort, er fragte ungehalten:
»Was ist denn jetzt schon wieder?« Ich war also
nicht der erste Anrufer in dieser Nacht, irgend
jemand, wahrscheinlich ein Untergebener vom
Amt, hatte ihn kurz zuvor gestört. Ich denke jedoch, daß Kabasta sich gern stören läßt, nur in der
Störung ist er in seinem Element, immer im
Dienst, immer auf Wache, und vor allem nachts,
wenn es ihm obliegt, in die Kanäle der Unbot-
mäßigkeit zu horchen, alles abzutasten und zu
lauern, zu spähen, ob irgendwo ein Aufbegehrer
am Werke ist und eine seiner Ordnungen unter-
gräbt. »Spricht dort Herr Doktor Kabasta?« fragte
ich. – »Sind Sie das schon wieder, Oscoćil?« fragte
er, da war sie schon wieder, diese unverständliche
Verwechslung; keiner kann sich vorstellen, daß

etwas Unvorstellbares geschieht, und sei das Unvorstellbare auch noch so bescheiden, wie der nächtliche Anruf eines Unbekannten. »Nein«, sagte ich, »nein, Herr Doktor, diesmal ist es nicht Oscoćil, diesmal ist es Bloch«, – dieser Name fiel mir gerade ein, er bedeutete nichts, zumindest nicht zu diesem Zeitpunkt – »Wer?« – »Bloch«, sagte ich, »und ich möchte Ihnen mitteilen, Herr Doktor Kabasta, daß alles entdeckt ist . . .« – ich horchte unter meiner Stimme, setzte kurz ab, es kam keine Antwort, aber ich hörte ihn atmen, sah seine Augen klein werden, sah seine große rote und blonde Hand, wie sie, bedacht darauf, kein Geräusch zu machen, zu einem Schreibgerät griff, – »und ich rate Ihnen zu fliehen, solange Ihnen noch Zeit bleibt.« Ich hörte sein Schweigen, hörte die Notiz, die er auf seinen Block machte, Bloch schrieb er auf seinen Block, auf dem schon andere Namen standen und wieder andere schon durchgestrichen waren, ausgelöscht, erledigte Fälle, ehemalige nächtliche Ruhestörer, ein für allemal zur Strecke gebracht von einem geübten Jäger, der, selbst unsterblich, die sterblichen Stellen seiner Opfer kennt. Ich hörte ihn schreiben, hörte, wie er den Stift ablegte, hörte auch seine Suche nach einem Vorwand, mich noch länger am Telefon zu halten, – »einen Augenblick«, sagte er, ich wunderte mich,

44

daß auch einem Kabasta nichts Besseres einfiel, –
»einen Augenblick« – ich hörte, wie er mit der
anderen Hand, der roten, blonden, großen, dieser
seiner Hand, einen zweiten Hörer abhob, ihn
sachte hinlegte und eine Nummer wählte, das
heißt, ich hörte nur noch eine lange Drehung der
Scheibe, die erste Null der Polizei, dann hängte ich
ab und war von diesem Augenblick an verfolgt,
noch nicht einmal ganz zu unrecht, nicht ganz
schuldlos, wenn ich es vom Gesichtspunkt der
öffentlichen Ordnung betrachte, ein Gesichtspunkt
allerdings, der mir wenig geläufig ist und zu dessen
Anerkennung ich mich niemals entschließen würde.

Schon am nächsten Tag knackte es in der Leitung,
wenn ich den Hörer abnahm, in der nächsten
Nacht telefonierte ich nicht mehr, und am übernächsten Tag kamen zwei Arbeiter vom Telefon-
amt, die sagten, mein Telefon sei nicht in Ordnung, sie müßten es prüfen. Sie prüften, und nach
der Prüfung sah es anders aus. Ich hätte nicht
sagen können, wo der Unterschied lag, Farbe und
Form hatten sich nicht geändert, aber es hob sich
plötzlich von der Einrichtung meines Schlafzim-
mers ab, in dem es stand, es zog den Blick an,
scheinbar unscheinbar, aber wie eine böse Knospe,
unter der man schreckliche Blüte erwartet. Ich be-

nützte es nicht mehr, antwortete nicht mehr, wenn es läutete, ich wollte keine Namen mehr sagen, meinen nicht und andere auch nicht, wollte keine Stimme mehr ertönen lassen, wollte mich neben diesem Ding auch nicht mehr schlafen legen. Bald darauf verließ ich das Haus, die Stadt, den Staat, und zog hierher. Das war vor elf Jahren.

Und hier denn, immer noch neben diesem Bett, meinem Winterbett, steht das Telefon dieser elf Jahre. Mir dient nur noch der Hörer, die Sprechmuschel ist allmählich überflüssig geworden. Es gibt nicht viele – nicht mehr viele –, denen es einfällt, mich anzurufen, jeder Anruf stellt sich bald als falsche Verbindung heraus, und ich selbst rufe niemanden mehr an, ich wüßte kaum, mit wem ich sprechen, was ich sagen sollte, und was der andere sagt, das weiß ich schon oder will es nicht wissen. Fremde rufe ich nicht mehr an, ich spüre keine Schuldigen mehr auf, ich bin kein Verfolger, ich bin gewarnt.

Ich benutze das Telefon, um zu horchen, manchmal nur auf die summende Stille, das einzige Geräusch der verstreichenden Zeit, ich horche, horche den Drähten entlang und darüber hinaus, in den Raum, über die Ecken und Felder der Erde, mein Ohr streift über die Meere, ich spüre mich in Lei-

tung und Masten und Wellen, horchend auf etwas
das entsteht oder etwas das vergeht – manchmal
aber auch, um irgend etwas in Worten zu erfahren,
etwas das sich draußen vollzieht, außerhalb meines Zimmers und meines Hauses, am liebsten außerhalb der Erde, über ihr, über den Ebenen, den
Bergen und den Meeren, in der Atmosphäre –
Wetterbericht zum Beispiel, oder, wie sie es nennen, die Wettervorhersage, die höre ich gern; ob-
schon ihre Worte nicht immer klar oder glücklich
gewählt sind, reißt sie ein Panorama von Möglichkeiten auf, hier auf diesem Gebiet gibt es noch
Möglichkeiten, – gewiß, es enthüllt sich kein kos-
misches Panorama, ich höre nicht das Tönen der
Sonne, nicht die alte Weise, und nicht das kalte
Schweigen des Mondes, es weht mich keine Luft
von anderen Planeten an, wie dort droben im
Holz des Speichers am Fernrohr –, und doch, auch
hier erhebe ich mich über mir, hebe mich über
die Erdrinde, entschwebe, beginne eine Bahn zu
ziehen, ich schwebe –
segle, als Cumuluswolke, gebläht, oder hoch und
flatternd und fahrig als Zirrus, oder ich bin eine
fasrige Schicht von Nimbus, fliehend vor einem
mächtigen massigen atlantischen Tief, einer Küstenlinie entgegen, ich löse mich auf, zerstiebe, bin
Luft im Sog einer abziehenden Nacht –

oder eine Insel von Unwetter, das im Gebirge herrscht, über den nächtlichen Gletscher segelt, sich zwischen den Firnen und Spitzen fängt und zerreißt, oder

– anders: von Süden, komme von Süden, und von oben, ein böser Fallwind, ein Föhn, ich drücke schwer nach unten und spüre mich im Kopf der Gegeißelten, deren ich einer bin, ich pralle an den steilen Südhängen anderen Massen entgegen, Massen kühler skandinavischer Luft, Vorboten polarer Strömungen, es entsteht ein Kampf in der Atmosphäre, Wetter türmt sich nach oben und entlädt sich nach unten, und da liege ich, hier, unter der erfrischenden Entladung – –

– ich drehe die Nummer eins-sechs-eins. Ich kenne diese gepflegte weibliche Stimme und ihre überartikulierte Diktion. Jetzt sagt sie:
bis mäßige umlaufende Winde aus Ost bis Nordost sonst im Allgemeinen noch schön vor allem im Unterland von Norden lagert sich – im Allgemeinen schön. Schön, das bedeutet niemals etwas anderes als wolkenloser Himmel und Sonne. Manchmal, im Sommer, da bleibt der Himmel wochenlang wolkenlos, das Blau wird immer tiefer, die Sonne sengt, sie brennt und trocknet alles aus, die Erde wird zu krachender Rinde, aber das Wetter ist

schön, schön zum Verrecken – *bleibt jedoch im Mittelland die Nebelgrenze bei achthundert Meter Höhe* – Nebelgrenze, da ist sie, die ersehnte Nebelgrenze – *Luftdruck in Nordeuropa ist gestiegen in Südeuropa und über dem Mittelmeer gefallen es ist daher zu erwarten daß* – da haben wir sie, die unsichtbaren Kämpfe in der Luft, hier vollziehen sie sich, bald werden sie über meinem Dach sein, über meinem Kopf, hier prallen sie aneinander und verknäueln sich, der steigende und der fallende Luftdruck, ich habe eine Wettergrenze über mir, Wand gegen drohende Wand. – *daher mit erneuter Zufuhr kalter Luftmassen zu rechnen ist im Süden dagegen schon zu einigen Schneefällen kommen mag weitere Vorhersage bis Donnerstag* – das Fallende trägt den Sieg davon, es wird einen frühen Winter geben. Was gibt es noch zu tun, außer Basilikum und Thymian zu ernten? – *in den Niederungen schwache bis mäßige umlaufende Winde aus Ost bis* – Nordost, da war ich schon. Ich werde gute Mischungen herstellen, vor allem Mischung drei wird delikat, dieses Jahr, épice riche – *sonst im Allgemeinen noch* – schön, ja, das weiß ich. Im Allgemeinen schön. Vor allem das »Allgemeine«, das ist wichtig, damit läßt sich die Schönheit besser ausbreiten, besser verteilen. – *allmähliche Verschlechterung* – »allmählich« ist kein Adjektiv –

vorläufig bleibt jedoch – jetzt kommt wieder die Nebelgrenze! – *Nebelgrenze bei achthundert Meter Höhe der Luftdruck in Nordeuropa* – wenn die Nebelgrenze noch ein wenig steigt, wenn sich die weiße Wand, die Wolke noch ein wenig aufwärts verschiebt, dann hat sie mich erreicht. – *zu erwarten, daß sich die Störungszone von Westen her in südlicher bis südöstlicher Richtung verschiebt* – bis sie über meinem Haus ist – *zu rechnen ist im Süden dagegen zu einigen Schneefällen kommen mag weitere* – Schneefälle – Schnee – *bis Donnerstag abend* – Genug.

Schnee also. Mir soll es recht sein. Kaltluftzufuhr. Eine vorrückende Nebelgrenze, deren Masse mich einhüllt, verschoben von umlaufenden Winden, – das sind die Geschehen über mir, die ich mir gefallen lasse, da hat keiner seine Hand im Spiel, von dieser Seite – aber nur von dieser Seite – ist mir alles was kommt willkommen. Liegen, gelockert, schweben zwischen einem sanften Sog von unten, einem wechselnden Wehen von den Seiten und Niederschlag von oben, dem setze ich mich gern aus, diese Mitte ist ein guter Standort.
Standort? Wo stehe ich denn? Wo? Hier – nirgendwo. Nirgendwo, der einzige Ort, an dem ich atmen kann, frei, von allem gelöst, von nichts bedrängt als

von Witterung. Keine Gespräche zu führen, keine Aufträge auszuführen, kein Urteil zu fällen, keine Schuld zu tragen, kein Handwerk zu meistern außer meinem winzigen Beitrag zur Gastronomie, zu keinem Gott zu beten – und wie gern hätte ich mir hin und wieder mehr Regen erbeten – keinen Weg zu gehen als den durch die Gärten, sonst nichts, nichts –, ich lasse mich tragen, bis ich nicht mehr bin.

Nebelgrenze. Schneegrenze, Schneefall: da sehe ich mich an der Straße zum Paß. Sie ist vereist, ein scharfer Wind aus Ost oder Nordost läuft um oder fegt über Hänge und Wächten und Flächen, scheucht Schneekörner auf, Eiskristalle, ein pfeifender Wirbel, der den Atem raubt und die Stimme erstickt, und nirgends ein Umriß außer den Pfählen, sie stecken die Straße ab, oder vielmehr: sie bilden die Grenzen dessen was im Sommer Straße war und im nächsten Sommer wieder Straße sein wird, rechts taucht ein rundes Schild auf, ein Warnschild, aber auf ihm steht nichts, die Fläche ist von Schnee beworfen, weiß wie alles, und nirgends ist ein Horizont – –

– wann war das? Es war schon Frühling, damals. Ich fuhr, fuhr um zu fahren, in die Höhe, zum Paß, ich wollte hinauf, hatte sonst kein Ziel, nur hinauf. Die Straße war geräumt, die Ränder waren gefräst, aber später Neuschnee war gefallen, der Paß wieder gesperrt, die Straße auf eigene Gefahr befahrbar.

Dennoch, ich fahre hinauf, ich liebe die eigene Gefahr, es herrscht Nebel, überall weiß und grauweiß, keine Umrisse sind erkenntlich, keine Dinge außer den Schneestecken und ein paar Tannen hinter grauem Dunst, nichts das einen Schatten legt, und keine Sonne um ihn zu werfen, Himmel und Erde und Berg und Straße gehen ineinander über, und bald beginnen auch die Schneestecken zu schweben und zu tanzen, im Gependel der Kurven werden sie jäh durcheinandergeworfen wie keglerische Volltreffer, und ich fahre hinauf, auf Ketten, die den Schnee hinter sich schaufeln, ich richte mich nach der Erinnerung, aber sie läßt nach, je näher ich komme, schwebt nur noch diffus vor mir her, ein unsichtbares Irrlicht, sie lacht mich aus, vielleicht hat sie mich schon in die Irre geleitet, und plötzlich schwebt etwas anderes vor mir her, das ist ein Tod, hier hat er gewartet, dieses unbeschriebene Blatt, hierher hat er einen Auftritt verlegt, als Nebelwolke, der sonst als Pique-As auftritt, als Knochenmann oder Tarockspieler, Kupferstecher, Kinderverzehrer, der Halunke, Spießgeselle, dem niemand auf seine Schliche kommt. Er kennt die

Möglichkeiten seiner Wirkung, das muß man ihm lassen.

Und nicht mehr lange, da hat denn auch mein Wagen seinen letzten Zug getan, Schnee stemmt sich ihm entgegen, wird unter den Rädern zu Eis gemahlen, Gummi und Ketten wirbeln wie eine rasend gewordene, aus der Kontrolle geratene Maschine, der Motor heult wütend nach verlorenem Widerstand, Strahlen von Eiskörnern sprühen um die Fenster, noch ein Druck auf das Gas, ein letztes Aufjaulen, dann stirbt der Motor, und es herrscht absolute Stille, die Welt und alles in ihr, das ich jemals gekannt habe, jeder Gegenstand, den ich jemals berührt habe, und alles, was ich gesehen habe, hat sich von mir abgewandt, es ist zu Ende.

Aber ich kam noch einmal davon, wenn ich es so nennen soll. Allmählich, mit gezielter Langsamkeit, ohne daß ich auf meinem Sitz auch nur mein Gewicht verschoben hätte, wendet sich der Wagen, als sei für ihn unter dem Schnee eine senkrechte Drehachse gewachsen, als sei er ein Ausstellungsstück auf einem Automobilsalon, er stellt sich quer und rutscht rückwärts ein paar Meter hinab, das Heck stößt hinten in einen Wall von Schnee, der ihn wieder abstößt und dreht und quer abwärts über die Straße gleiten läßt, der Beginn einer Zickzacklinie. Die vordere Stoßstange stößt in den Schnee, ich drehe das Steuer, um den barmherzigen Zufall zu nutzen und den Wagen abwärts zu lenken, ihn ins Gleiten zu bringen, er wendet sich ein wenig, aber nun schabt der Kotflügel gegen den Schneewall rechts der Straße, schabt Schnee und schabt tiefer und stößt plötzlich hinter dem Schnee auf harten Grund und kratzt eine Wand von Metall, von der nun aller Schnee abfällt: ein Auto.

Eine Chevrolet-Limousine, hellblau, Baujahr 1952. Hinter dem Fenster saß, erstarrt, erstickt, eingefroren, verhärtet, und zwar wahrscheinlich schon seit dem vorigen Herbst, ohne Mantel, den Panamahut tief im Nacken, ein Taschentuch zwischen Hemdkragen und Anzugkragen gezwängt, in seinem graublauen Gabardine-Anzug, die gelbe Krawatte gelockert, die Hände über dem Steuer gekreuzt, der Vertreter der evangelistischen Erweckungsbewegung, Mr. Wesley B. Prosniczer. Sein Mund mit dem ungeheuerlichen weißen Gebiß formte ein lautes, lange verklungenes A, gewiß das A eines Chorals, die Augen waren geschlossen, als habe er zuguterletzt nichts mehr sehen sondern seine ungeteilte inbrünstige Konzentration dem gesungenen Wort und seinem Sinn widmen wollen. Er bot keinen guten, noch nicht einmal einen besonders versöhnlichen Anblick, wie er da starr saß, seiner Seelen entblößt, dieser Mann des trivialen Glaubens, denn wenn auch das Erfrieren als wunderbare und nicht entwürdigende weil nicht entstellende Todesart gilt, so hatte ihn doch wohl dieser vorzeitige Zwang der Bewährung allzu unerwartet getroffen. Denke ich jetzt nicht daran, –

– versuche ich zu schlafen. Wie war noch dieser schöne Name? Tynset.

So schön ist er eigentlich nicht. Es gibt schönere, wohlklingendere Namen. Und wahrscheinlich – natürlich bin ich nicht sicher – wahrscheinlich gibt es schönere Orte als dieses Tynset in Norwegen, diese Nebenstation an der Nebenlinie zwischen Hamar und Stören, ein grauer Ort mit Aussicht auf graue Berge und ein paar karge Bäume. Und doch haben meine Gedanken diesen Ort gewählt, sie umkreisen ihn immer noch. Sie sind viel geschweift, früher, jetzt freilich schon lange nicht mehr, sie sind über mehrere Dutzend wunderbarer Namen auf den Landkarten der Welt geglitten – nicht zu denken an die Sternkarten des Himmels – es waren oft herrliche Fahrten, ein Schweben über niemals zu ermessende Entfernungen, aber hier –

ausgerechnet hier sind sie auf das Hindernis gestoßen. Nun, vielleicht war es schon lange fällig, ja, das wird es sein: es war schon lange fällig und wenn ich zurückdenke, so wundert es mich, daß es jetzt erst gekommen ist, jetzt, da ich keine Flucht mehr plane und das Schreckliche seinen Schrecken verliert.

Ich nehme meinen Schreibblock vom Nachttisch und schreibe in Druckbuchstaben, aufrecht, mit peinlich geraden horizontalen Querverstrebungen, bis auf die große Schräge des Ypsilon, TYNSET. Da steht es, wie karge Rabatten in einem verschneiten Garten – nein, das nicht, da steht es, wie ein Zeichen an der Wand, als habe es sich selbst hingeschrieben. Aber was soll es?
Da steht es, es wächst, gewinnt an Bedeutung, und ich beginne, die Buchstaben zu verzieren, mit ein paar Dekorationen zu umgeben, die nehmen dem Namen ein wenig von dem wachsenden Pathos, aber dafür sind sie seiner Klarheit abträglich.
Was soll es? Nichts, ich lege den Block zurück auf den Nachttisch, auf die Stöße von Zeitungen, Zeitschriften, auf das Telefonbuch, eines von vielen Telefonbüchern, in denen ich immer noch hin und wieder lese, wenn ich, tagträumend, der Illusion zu erliegen drohe, daß diese Erde unbevölkert sei.

Es gab übrigens eine Zeit, in der ich versucht habe, selbst ein Telefonbuch zu schreiben, als Übung. Ich begann bei A, aber dazu fiel mir nichts ein, der Zwang des Anfangsbuchstabens hemmte mich bei dem Versuch, eine Einheit von Angaben aus sich heraus entstehen zu lassen. Es war schon zuviel vorgegeben. Ich legte daher eine Karthotek an, um meine Einfälle nicht vom Buchstaben abhängig machen zu müssen und mit einem Register stetig wachsender Möglichkeiten spielen zu können. Aber ich gab es bald wieder auf, es war ein müßiger Versuch: nirgends ist man der Spur eines Lebens weiter entrückt als dort, wo man diese Spur zu imitieren sucht. Es war als wolle ich mit meiner Hand den Abdruck einer Fußsohle in den Sand prägen. Irgendwo machte auch ich immer die Rechnung ohne unser aller Wirt, der mir dann stumm und grinsend über die Schulter sah und mit einem knöchernen Zeigefinger auf eine Unebenheit deutete, eine geringfügige Unwahrscheinlichkeit auf meiner Karte, der beizukommen ich mich vergeblich bemühte. Ich sah wohl, daß da ein Fehler war, aber die Einsicht des Fehlers entzog sich mir, bis ich meine Aufstellungen mit denen des offiziellen Telefonbuchs verglich und mir der – in der Tat winzige, mit dem bloßen Auge kaum erkennbare – Irrtum entgegentrat: eine kleine Einzelheit inmitten lebensnaher Daten, die aber die Einheitlichkeit des Bildes schädigte. Nein, das ist nicht das rechte Wort, es ist zu schwach: das Bild wurde nicht geschädigt, es wurde vielmehr zerstört, oder, besser noch, vernichtet, ja, das ist das rechte Wort: vernichtet. Was einer sagt oder liest oder schreibt oder denkt oder druckt oder predigt, ist nicht entweder gut oder schlecht. Es ist entweder falsch oder richtig, und das galt auch für mein Telefonbuch: es war falsch.

Ein Beispiel: ich hatte mir einen Dr. Hanskarl Fuhrich erdacht, er sollte Graphologe sein und in der Lichtenbergallee 24 wohnen. Das war nun allerdings eine anspruchsvolle Adresse für einen, der sich in einem noch heute angefochtenen Nebengebiet der Wissenschaft eingerichtet hat, aber die Zusammenstellung schien mir einem Stück Realität zu entsprechen, es war ein gefügiger Wortlaut. Ich fand ihn später im offiziellen Telefonbuch: einen Mann, der diesen Namen trug, der den von mir ihm zuerteilten Beruf ausübte, die von mir erdachte Nummer hatte, nur wohnte er eben doch nicht in der Lichtenbergallee 24 sondern in der Judengasse 9a, und ein gerichtlich zugelassener Gutachter, ein Sachverständiger von Rang, sank hinab, fiel in ein anderes, minderes

Fach, es wurde aus ihm ein zweifelhafter Winkel-
wissenschaftler, nur wenig besser als ein Astrolog,
der vielleicht sogar seinen akademischen Titel zu
Unrecht trug und der Respektabilität selbst einer
solchen Gasse einen Makel aufzudrücken schien.

Es war eben alles noch ein wenig schäbiger, glanz-
loser als in meinem Entwurf, und dies obgleich ich
mir gerade eingebildet hatte, der Verschlissenheit
dieser gegliederten Ordnung gerecht zu werden.
Versuchte ich dann, den Fehler auszuschließen,
einen Weg minderen Grades einzuschlagen, um an
ihm rechts und links ein paar Personen anzusiedeln
– denn an ganze Familien dachte ich nicht, Familien führt das Telefonbuch nicht, und hier vor
allem offenbart sich seine geradezu vernichtende
Beschränkung –, erfand ich also, dem Versuch entsprechend, eine Einheit wie: Adolf G. Schmöldes,
Vertretungen, Schlachthofgasse 78 – wobei mir
hier die Adresse beinah noch zu tief gegriffen
schien, in ihrer Trübheit zu absichtsvoll – so ent-
sprachen Nachname, Beruf und Nummer und diesmal tatsächlich sogar die Straße den Daten einer
lebenden Person, nur war ihr Vorname nicht Adolf
G. sondern Götz Friedrich; auch hier die Zurecht-
weisung, und hier an unvermuteter Stelle: ich
hatte nicht mit Eltern gerechnet, die durch einen

Vornamen von markiger Noblesse die mißklingende Zusammensetzung der ererbten Buchstaben zu mildern versucht, unter denen sie vielleicht selbst ein Leben lang gelitten hatten; an sich ein allzu verständlicher wenn auch vergeblicher Versuch, den Weg eines Sohnes ein wenig zu ebnen, der es dann schließlich doch nicht weiter als bis zur Schlachthofgasse gebracht hatte, wo er wahrscheinlich Schleifsteine oder Putzmittel oder kleinere zeitsparende Erfindungen für die Küche vertrat. Dies sind die Punkte, wo das Telefonbuch Unausgesprochenes widerspiegelt, wo zwischen den nüchternen Zeilen sich ein kurzer jäher Ausblick auf eine Landschaft unterdrückter, verschwiegener Tragik öffnet.

Götz Friedrich – kannte ich nicht einen, der so hieß? Doch, ich kannte einen, er war ein Mitschüler von mir und fuhr Motorrad, die einzige seiner Eigenschaften, derer ich mich entsinne; er hatte einen Unfall, bei dem er entschlossen am Leben blieb, während sein Sozius, ein anderer Mitschüler, dessen Namen ich aber vergessen habe, mit dem Tode davonkam.

So ein Vorname haftet, er bleibt haften und trägt zur Prägung seines Trägers bei, der zunächst daran unschuldig ist, der aber später in ihn hineinwächst,

so wie er in alles hineinwächst, in sein Schema und
in seine Schuld. Der Name kommt vor dem Kind
wie Hochmut vor dem Fall, aber er wirft Licht
nicht nur auf die Eltern oder zumindest deren
einen Teil, der sein Kind so und nicht anders zu
nennen begehrte, sondern auch auf den Träger,
dem der Name im Lauf der Jahre in Fleisch und
Blut übergeht; und bald verkörpert der Name sich
in ihm, er wird zur Kennzeichnung, oft nur ein be-
scheidenes Fähnchen, das scheu im Atem eines jeden flattert, der den Träger anredet und den Namen ausspricht, oft aber auch eine Fahne, die im
Wind eines großen Anspruchs weht, und oft ein
Schwall von aufdringlicher Rechtfertigung: ein
Götz-Friedrich, eine Armgard, ein Giselher entstehen nicht von ungefähr, vielmehr bilden sie sich
mit der Muttermilch und wachsen, entsprechend
ihrer Bestimmung, in ihre Namen hinein, und die
Namen wachsen mit ihnen, werden groß und fordernd und bedrohlich. Gewiß, man kann sich später einen Namen eigener Wahl geben, Roland
Fleming zum Beispiel hieß früher Karl Mädler, er
wollte in diesem Namen einen Makel abwerfen
und merkte nicht, daß der Name seiner Wahl nicht
auf ihn paßte; daß eine Blöße sichtbar wurde, die
den Blick auf eben jene geheimen Wünsche lenkte,
die er durch den neuen Namen zu verbergen

suchte: das Verlangen, einer zu sein, der er nicht war und niemals sein würde. Denn der, der er sein wollte, Roland Fleming, wäre keiner von denen gewesen, die ihren Namen wechseln.

Es ist sinnlos, sich anders zu nennen als man heißt, so sinnlos wie eine kosmetische Operation. Zum Beispiel . . .

. . . zum Beispiel Doris Wiener, die sich ihre Nase verkleinern und ebnen ließ. Durch die manipulierte Schönheit ihres Gesichts schien immer die voroperative Unschönheit der Nase hindurch, nicht körperlich, gewiß, aber sie schien durch die Seele der Verschönerten, durch ihre Augen und ihren schuldigen Blick, der sich hilflos hinter ihrem Gegenüber an irgendeinem Gegenstand festzuhalten suchte, der haltlose Blick einer Entwurzelten, die ihren Makel entbehrte, mit dem ein festes Verhältnis sie verbunden hatte. So konnte – ja, ich erinnere mich – so konnte denn der Mann, den sie geheiratet hat, sie niemals recht kennen lernen, denn der kleine abgesägte oder auch nur abgefeilte Teil ihres Körpers hatte nicht einen entsprechenden Teil ihres Wesens mit sich genommen, sondern, im Gegenteil, dem Wesen noch etwas hinzugefügt: eine Beule in seiner Rundung beigebracht, das Gefühl eines Verlustes. Ich weiß natürlich nicht, ob der Mann sich dieser Kluft jemals bewußt wurde, ob er –

ob er überhaupt Zeit dazu hatte. Beide sind nämlich früh umgekommen. Umkommen, ja, so nennt man es. Sie kam in einer Gaskammer um – installiert von der Firma Föttle und Geiser, an Firmennamen erinnere ich mich unfehlbar und genau – und er, er hieß übrigens Bloch, er war, soweit ich mich jetzt erinnere, der einzige Mensch, den ich jemals gekannt habe, der sich buchstäblich sein Grab selbst schaufelte, und zwar unter Aufsicht von Kabasta, der ihn dann, Gesicht grabwärts, vor das Grab stellte und ihn durch einen Genickschuß tötete, mit seiner rechten Hand, der großen, roten, blonden, dieser seiner Hand.

Die Hähne Attikas –: um sie krähen zu hören, stieg ich eines Abends zur Akropolis empor, versteckte mich vor Torschluß, als die Wärter ihren letzten Gang durch die Tempel und über das weite, steinige, steinerne Gelände taten, hinter einer dicken Säule dorischer Ordnung, ich rollte, nah an sie gepreßt, wie ein Zahnrad quer über ihre Hohlkehlen, immer im Sichtschatten des gehenden Wärters, und ließ mich einschließen. Nun hatte ich eine lange Nacht vor mir, aber das schreckte mich nicht, ich war schon damals kein rechter Schläfer, und alle meine Nächte sind lang.

Am frühen Morgen, noch vor seinem Grauen, aber als es sich schon ankündigte, als ich es schon in den Knochen spürte, sein Hauch mir fröstelnd über die Haut wehte, das Summen der Nacht schneller wurde, im Verflüchtigen war, stellte ich mich an der östlichen Mauer auf, dort wo man für fotografierende Touristen den Erker errichtet hat, trichterte die Hände vor dem Mund und schrie, so laut ich konnte, Kikeriki.

Stille. Einen Augenblick lang blieb es still, war es stiller fast als zuvor, als habe mein Schrei die Luft von Geräuschen, von Anlässen zu Geräuschen, leergefegt. Dies war der Augenblick, da ich mich meiner Torheit schämte, denn zu dieser Stunde, in dieser Stille, an diesem Ort, an dem der Atem der Götter – auch der Gauner unter ihnen – sich noch nicht verflüchtigt hat, bleibt die geringste Torheit in der Luft stehen und steht stellvertretend für alle Torheiten des Lebens. Es zog ein kurzer Moment der Einsicht vorüber, aber ich griff nicht nach ihr, und sie ist wieder entschwunden, der Moment löste sich auf, und dann, als ich schon kein Echo, geschweige denn eine Antwort erwartete, stellte ich fest, daß der Ruf nicht vergebens war: ganz in meiner Nähe, unterhalb der Mauer, im Gewinkel eines Hinterhofes der alten Stadt, ertönte ein Geräusch, ein lahmes Scharren auf Blech und Holz, ein verschlafenes Flügelschütteln, der Ruf hatte einen alten, ausgedienten Hahn geweckt, der nun in einer verbrauchten, heiser krächzenden Stimme antwortete, sein Kikeriki war unartikuliert, ganz I und kaum K, aber es war ein Ruf in der Nacht. Er ertönte einmal nur, aber jetzt wußte ich, es ist einer wach, eine Verbindung war angeknüpft, gewiß, nur mit lächerlichem Federvieh, Geflügel, aber dies sind die Stunden, in denen man für jeden Kontakt dankbar ist.

Ich wiederholte den Ruf, und diesmal antwortete der Hinterhofhahn sofort, er war vorbereitet, hatte schon gewartet. Ich rief nicht mehr. Aber nun war der Hahn unten wach und gespannt, er schüttelte nochmals die Flügel, ich hörte ein Scheppern von hohlem Blech, er hatte eine Büchse umgestoßen, und plötzlich schien die Nacht auf prosaische Weise belebt. Dann rief er noch einmal, in enttäuschter Erwartung. Und irgendwo, weiter entfernt aber immer noch nah, antwortete ein zweiter Hahn, ein jüngerer, ich hörte die Blüte seiner Jahre im Schmettern seiner tenoralen Stimme. Er krähte einmal nur, dann verstummte er wieder, das Spiel hob nur zögernd an. Ich wartete kurz, aber bevor noch alles Echo verklungen war, trichterte ich meine Hände noch einmal und rief Kikeriki, um die Sache endlich in Gang zu bringen, ein Konzert zu entfachen. Und diesmal antwortete zuerst, weiter entfernt aber nah genug, der schmetternde Hahn, und dann, über dem Schmettern schon fast vergessen, der alte Hinterhofhahn, nah und nah am Verstummen.

Nun brauchte ich nicht mehr zu rufen, denn der Schmetterhahn war hellwach, ich hörte in den Leibeskräften seines Rufes den Wunsch zu wecken. Und kaum hatte er noch einmal gerufen, da rief auch schon ein weiterer Hahn, der dritte, er rief tief und dröhnend, war aber weit weg, vielleicht am Fuße des Hymettos, jedenfalls in dieser Richtung, und gleichzeitig mit ihm rief einer unten in der alten Stadt, rief mit dem kühnen Ton eines Kämpfers, ein Nachbar des Hinterhofhahnes, und ich wunderte mich, daß er nicht schon früher gerufen hatte. Der Hinterhofhahn selbst war verstummt, hatte sich verausgabt, hätte aber diesem immer schneller werdenden Austausch nicht standhalten können, diesem heraldischen Turnier von Rufen, die ein Schmetterhahn, ein Dröhner und ein Kämpfer einander zuwarfen. Ein Vierter kam hinzu, ein Trompeter, er war sehr weit entfernt, in der Ebene, die sich nach Kap Sunion erstreckt, sein

Ruf verwischte in der Luft. Darauf entstand eine kurze Pause, wie eine Pause der Überraschung, als hätten die drei keinen vierten erwartet, dann aber ertönten alle vier verschieden gestimmten Rufe in schneller Folge, und sofort darauf noch einmal in einer anderen Folge, als habe die erste die Rufer nicht befriedigt, und ein Fünfter kam hinzu, im Süden, und ein Sechster im Westen, beide weit, und ein Siebenter, diesmal wieder nah, sein Ruf warf ein Echo. Es klang aus, und sofort fielen die anderen wieder ein, der Dröhner, der Trompeter, der Kämpfer und der Schmetterer, der Fünfte im Süden und der Sechste im Westen und dann wieder der Siebente und dann das Echo, das diesmal nicht ausklang, denn die anderen fielen schneller ein, und es kamen neue hinzu, nahe und ferne, tiefe und hohe und heisere und klare, andere Schmetterer und Trompeter, Kämpfer, Dröhner, Fanfaren und Kastraten, einzeln nicht mehr feststellbar, es kam aus allen Richtungen, das Konzert breitete sich aus wie ein Brand, es zog sich zwischen den Bergen entlang, sein Echo prallte an den Hängen ab, es erstreckte sich durch die Ebene, drang in die Täler, für mich und die Hähne meiner Umgebung nur noch zum Teil hörbar, auch waren die Hähne meiner Nähe schon heiser oder verstummt, aber sie waren mehrfach ersetzt durch andere Stimmen, alle Tonlagen waren besetzt und alle männlichen Stimmfächer bis zum Falsett. Und so zog sich das große attische Konzert durch das Land, überkreuz und in die Quere, ein Netz, das sich vergrößert, während seine Maschen enger werden, denn zwischen den Hähnen tauchten neue Hähne auf, als seien sie soeben erst erwacht, und jeder von ihnen krähte und horchte und krähte wieder, aber keiner hörte das Ganze, jeder hörte und bekrähte nur seinen begrenzten Radius, und eines jeden Hahnes Nachbarhahn hörte und bekrähte wieder einen anderen Radius. Aus dem Netz von Hahnenruf wurde ein Teppich, dessen Fransen am Rande sich stetig zu weiterem Teppich verdichteten, der also ständig wuchs, in allen Richtungen, nur dort wo er ans Meer gelangte, dort hörte er jäh auf, die Hähne am Meer krähten landeinwärts und hatten nur einen halben Wirkungskreis, und die auf den Landzungen bekrähten nur einen spitzen Sektor, der Rest ihres Rufes verhallte im Meer, und dort hinten, der Hahn von Kap Sunion, der krähte hinaus ins Wasser, wo ihn vielleicht nur ein früher Fischer hörte, aber der hörte nicht nur ihn, sondern er hörte eine ganze gezackte Küstenlinie voll von fernem und nahem Krähen, das an der anderen Seite wieder landeinwärts getragen wurde, bis nach Athen und darüber hinaus und abzweigend dann in alle Himmelsrichtungen, und wieder zurück, hinauf zu mir, dem großen Entfacher, der ich immer noch auf meiner Höhe stand, still und wie ein Herzog aller Hähne, König der Hähne Attikas, der ich über dem Konzert thronte und mich fragte, wie all dies wieder enden sollte.

Aber es endete, es erstarb. Die Nacht wurde dünner, wurde fadenscheinig, in der Nähe verblaßte hier und dort ein Ruf, ein anderer verstummte, ein paar Stimmen fielen aus, und in der Ferne bildeten sich Inseln aus Stille über Wellen aus Laut, die Nacht löste sich auf, verfranste sich, es wurde heller, ein Tag erwachte, und mit ihm seine Hühner. Mancher Hahn war nun abgelenkt, ging der Fortpflanzung nach, seinem Tagewerk, die Einsamkeit überwunden, sie war wie nie gewesen. Bald waren die Inseln Inseln aus Laut inmitten Ebenen aus Stille, und schließlich ertönte nur noch hier und dort, einmal nah und zweimal fern, ein vereinzelter, noch nicht ermüdeter, unermüdlicher Hahn, der sich nach der Nacht zurücksehnte, im Gedenken des Konzerts weiter krähte, in vergeblichem Wunsch, es aufs neue zu beleben. Aber wie die Helle zunahm, wurde auch er sich der Vergeblichkeit des Traumes von nächtlicher männlicher Gemeinschaft bewußt, krähte noch einmal und verstummte. Es wurde still, heller und kälter, kalte Leere bevor die Hitze aufsteigt, und es begann, zaghaft zunächst, dann aber ansteigend und unaufhörlich, das Klappern und Poltern und Rufen des Athener Morgens. Das Konzert der Nacht gehörte der Vergangenheit, und während ich meinen Posten an der Mauer verließ, um mich vor den öffnenden Wächtern zu verstecken, entschwebte mir die Erinnerung, entrückte ihr Gegenstand, um viel später erst wieder beschwörbar zu werden.

Während einer solchen Nacht möchte ich kein Schlafsucher sein. Aber ich habe mir sagen lassen, daß ein echter Schläfer durch keinerlei Geräusche wachzuhalten ist. Der Herzog von Wellington zum Beispiel durchschlief die nächtliche Schlacht von Bar-le-duc, eine seiner entscheidenden Schlachten, und als er am nächsten Morgen gegen zehn Uhr erwachte und seine Schokolade verlangte, teilten seine Generäle ihm mit, daß er seine Schlacht gewonnen habe. Das nenne ich mir einen Schläfer, einen begnadeten Schläfer.

Wo war ich? Bei den Hähnen und Schläfern. Bei welchen Schläfern? Nein, ich war bei Doris Wiener und Bloch – nein, nein, ich war bei den Namen, den Namen und den Nasen.

Namen und Nasen – ein Makel läßt sich nicht abschneiden oder abwaschen, er verläßt einen nicht, denn man vergißt ihn nicht. Im Gegenteil: erst durch den Versuch der Beseitigung gewinnt er an Gewicht. Ein Mensch ändert sich nicht, und seine Nase ändert sich so wenig wie sein Name oder seine geheimen Neigungen. Ich selbst zum Beispiel, ich trage einen Namen, der einen peinlichen Unterlaut hat, der aus irgendeiner fernen vorgeschichtlichen Tiefe kommt, einer nebligen Dunkelheit, in die zu blicken ich mich stets gescheut habe, und ich könnte mir die herrlichsten Namen geben, könnte mich hart an den Mauern ferner Städte reiben, könnte mich vom Wind entlegenster Gegenden durchwehen lassen, bis ich, bärtig und gebräunt, ein Lachen lache, in dem mich keiner wiedererkennt, könnte mir Beinamen überstülpen, im Versuch, den eigenen Namen zu ersticken, Endsilben oder Vokale anhängen, in südlichen oder in nördlichen Regionen erworben, und ich würde ihn doch nicht los, ich streife ihn nicht ab. Und gelänge es mir doch, so würde er mein Äußeres mit sich nehmen, Haut und Fleisch am Nessoshemd, und mein Innerstes würde sichtbar, in dem dann jedermann, auch der, dem mein Name vorher unbekannt war und gleichgültig ist, ihn nunmehr in Fleisch und Blut geschrieben sähe: da steht er, das ist er.

Elf Uhr.

Jetzt – jetzt werde ich alt, jetzt beginnt es. Immer jetzt, immer um diese Nachtstunde, immer zwischen elf und zwölf, da vollzieht sich an mir das Altern, der allnächtliche Akt – und ich das willige Opfer. Die anderen dreiundzwanzig Stunden des Tages steht es still. Es ist wie eine Bahnhofsuhr: der Zeiger hält fast eine Minute lang ein, dann springt er auf ihrem letzten Bruchteil weiter, zur nächsten Minute. So springe auch ich, im letzten Verlöschen des Tages, zum nächsten Tag, um diesen Sprung, um diesen Tag gealtert –, das heißt: ich springe nicht. Ich gleite.

Ich werde alt, ich spüre es, wie ich hier liege, die Kuhle in der Matratze tiefer und tiefer mit den Jahren, und die Jahre kürzer und kürzer, und das Bett immer weicher. Pfühl, so sagte man früher. Pfühl, das ist ein seltsames Wort. Aber in Wirklichkeit sagte es wohl niemand. Wirklichkeit –?

Da liege ich, liege immer tiefer, immer ein wenig tiefer, rücklings angesogen vom Mittelpunkt der Erde. Versinken – durch alle Schichten hindurch, durch Bett und Boden und Erde, Granit und Gneis und Malm und Dogger, hindurch, hinab, rücklings, sanft – sanft, immer tiefer, und über mir schlägt alles wieder zusammen, als sei ich nie gewesen. Wenn ich nicht mehr bin, dann werde ich nie gewesen sein.

Ich spüre –

– ich spüre ein Summen, ein Fließen, einen sanften Sog, ein allmähliches Vergehen, ich spüre mich unter der Haut altern. Aber die Haut, die altert auch. Und mein Atem altert. Alter Atem! Nicht zu reden von meinen Gedanken –, wenn ich das, was ich denke, wirklich noch Gedanken nennen soll, diese Splitter, diese Bruchstücke, abgetakelte Sehnsüchte, deren Objekt mir entschwunden ist oder soeben entschwindet. Meine Erinnerung läßt nach, alles verblaßt und wendet sich ab, Menschen, Ereignisse, Freundschaften, Liebschaften –, nur das Sinnlose bleibt, das schwimmt oben – –

und doch: da sind noch Augenblicke, kurze Einschnitte, Zäsuren auf dem Weg, retardierende Elemente, Augenblicke, in denen die Fremdheit aufleuchtete: hier ich – dort die trügerische Schönheit der Welt – und dann wieder vorbei –

– so ein Tag im späten Herbst, Oktober, wenn der Oktober von Dunst schon novembrig wird und im Nebel die Möwen lauter schreien, hoch über mir und weit um mich, ein Westwind weht, ein Seewind, noch lau aber mit einem kalten wintrigen Kern. Auch Weiß ist im Bild, ein weißer Dampfer

mit weißen Schornsteinen schlägt klatschend gegen die Reifen, die von der Kaimauer herabhän-
gen, auf denen steht »Firestone«. – »Firestone« –
die Trossen knirschen am Poller, als wollten sie
reißen, aber sie reißen nicht, sie werden nur rauh
und faserig und scheuern den Poller blank. Doch,
eines Tages reißen sie doch, reißt alles. Eine
Rostrinne zieht sich auf dem Weiß der Wand von
der Ankertasche abwärts, die Ketten rollen, und
Ladekräne und Karren – und ich – ich sehe das
Schiff unter meinen Füßen und sehe das Schiff
neben mir, ich stehe auf dem Kai und ich stehe auf
dem Schiff, ich habe ein schaukelndes Deck unter
den Füßen oder festen Boden aus Stein, ich bin im
Bild und ich bin nicht im Bild, ich betrachte es mir
von außen, ich bin allein, und ich bin zu zweit –
zu zweit? – Aber mit wem?
Eine weibliche Stimme ruft mir etwas zu, obgleich
ihre Trägerin neben mir ist, aber es weht ein Wind,
er weht ihre Worte fort, ich sehe sie entschwinden,
sich auflösen, er weht durch ihr Haar, es ist blond
oder schwarz, die Möwen sind hellgrau, das Schiff
weiß mit einer roten Rostrinne, der Himmel ist
grau – –

der Himmel grau –, ja, diese letzte Banalität löscht
das Bild aus: grauer Herbsthimmel. Früher, da

war der Himmel blau, aber das Blau ist verwaschen, fadenscheinig geworden, abgenutzt von Leuten wie ich, und jetzt ist der Himmel grau. Ich verwerfe das Bild, ich lege es weg, ich bin wieder hier, in diesem großen Bett, meinem Winterbett, ich steige wieder ein in das Verstreichen der Zeit, es ist zwischen elf und zwölf Uhr nachts, ich erledige mein tägliches Pensum an Altern, ich nehme diese dünnen Fäden wieder auf, um ein Seil daraus zu drehen, ein Seil, das mich vorwärts zieht – vorwärts und abwärts und hinab, dorthin, wo mein Weg enger wird, immer enger, wo die Möglichkeiten welken und abfallen – Möglichkeiten?

– Die Rotwein-Flasche leer. Ich sollte mir eine neue holen, in der Küche. Später, später – ich sollte –

– ich sollte nach Tynset fahren. Das wäre ein Wagnis, wie? Nach so vielen Jahren das Haus verlassen, sich abstoßen, und dann im Unbekannten schwimmen, oder im nicht mehr Bekannten. Es wäre ein Ziel, das einzig mögliche, das einzig denkbare. Aber langsam – langsam sich nähern, ohne Eile. Ich werde um mich sehen, werde so tun, als hätte ich kein Ziel, das Ziel zeitweise vergessen, um mich in Ruhe den Stationen zu widmen, als sei jedes Ziel mir recht. Nein, das nicht, ich sollte aufhören, mich selbst zu täuschen auf dieser Reise, meiner letzten Reise. Zudem könnte ich dieses Ziel niemals vergessen, nicht Tynset. Aber Übergänge auskosten, genießen, was es zu genießen gibt, die langsame Veränderung, das erste Auftauchen unbekannter Felder, fremder Fahrwasser, die Ankündigungen niedrigerer Breitengrade, Verheißungen des Nordens, der erste kühle Hauch, Windvögel, Schnee-Elstern – und langsam beginnen zu erraten, was es in Tynset gibt und was es nicht gibt.

Ja, ich werde hinfahren. Nur sind da immer die Städte, die zähen langgestreckten Befestigungen, labyrinthische Flugfallen, schwer durchdringlich, ineinander verzahnt, miteinander verfilzt in ewigem hartem Wettkampf –, die sollte ich nach Möglichkeit vermeiden. Im Fahren werde ich Augenzeuge ihres Anwachsens, sehe wie sie sich dehnen, sich über freies Feld wälzen, Schuttberge fressen, um sie andernorts wieder auszuspeien, um Riesiges angewachsen, Dörfer schlucken, Schrebergärten auflecken, den Boden ebnen und den winzigen Keim einer Trabantenstadt setzen, sich einbohren, um aus dem Bohrloch wieder in die Höhe zu wachsen und von dort wieder in die Breite, um die Erde in allen sieben Dimensionen zu vertilgen,

unberechenbar – nein, nicht unberechenbar, nur
falsch berechnet –, da wuchern sie denn, bilden
übernacht Metastasen, vorgestern noch unfühlbar,
gestern noch unsichtbar, heute schon Schwellung,
morgen Kern eines faulenden Gewebes, es bilden
sich Ketten von kleinen Geschwüren aus Beton,
eines wie das andere, und jedes umringt von an-
gepflanztem, umzäuntem Aussatz, sie bilden sich
an abgefressenen Hängen oder beiderseits der Zu-
fahrtsstraßen, die Straßen schließen sich zu qua-
dratischen Netzen um die Ansammlungen von Be-
tongeschwüren, so entsteht dann Vorstadt, aus der
dann Stadt wird, aus der dann Großstadt wird, aus
der dann Mutterstadt einer Ansammlung von Trabanten wird, in der dann niemand sich mehr aus-
kennt, auch der nicht, der in ihr großgeworden ist,
aus der dann Ruine wird, und, eines Jahrhun-
derts, in berechenbarer aber unberechneter Zukunft, wieder Wüste –

– so wie diese Nabatäerstadt wieder zu Wüste geworden ist, aus der sie entstand, eine Stadt aus
Wüste, an deren Peripherie ich stand, Sand at-
mend, in dieser sengenden Mittagshitze, Wüste
im Rücken, Wüste beiderseits neben mir und Wüste hinter den gelben zerbröckelten Mauern und
weit vor mir, sichtbar durch den steinernen Tor-

77

bogen in der Mitte dieser Stadt, und alles unter
einem gelbgrauen mörderischen Himmel – hier war
ein Tod, der Tod in der Wüste, ein Tod von vielen,
von all denen, die ich mein ganzes Leben lang erfahren habe, ein Tod, der dazu dient, mir einzubläuen,
was Leben bedeutet: Täuschung und Trug und Demütigung. Einer von vielen Toden, die ich schon zu
sterben bereit war und vielleicht gestorben bin.

Ich bin oft gestorben, jetzt allerdings sterbe ich seltener, aber einmal muß es das letzte Mal sein. Ich
schiebe das Ereignis hinaus, kein Tod von denen, die
sich mir genähert haben, hat mich überzeugt, nie
wußte ich, ob nicht ein besserer komme. Ich lebe
nur einmal und diene damit als Versuch, aber ich
sterbe oft, denn es gibt verschiedene Möglichkeiten
der Auswertung dieses Versuches. Möglichkeiten:
ich meine nicht für mich, sondern für die Instanz,
die mich leben läßt, mich beobachtet und nicht
ohne Spannung darauf wartet, welchen Tod ich
schließlich wähle.

Jetzt allerdings weiß ich, daß der nächste Tod der
letzte sein wird, es ist einer im Haus, im Holz, allgegenwärtig, der hat mich belegt, ich bin sein
Fall, er läßt keinen anderen mehr heran, er hat
schon gesagt: dieser da gehört mir.

Ich bin der Junge in der Geschichte, der zu oft

»der Wolf!« gerufen hat. Nur wird diese Geschichte falsch erzählt: der Junge hat jedesmal den
Wolf erwartet und jedesmal den Tod durch Zer-
reißen erlitten, aber er schreckte ihn immer weniger, und niemals hat er erwartet, daß irgendeiner
ihm zu Hilfe eile.

Ein gelbgrauer Himmel also, und weit hinten,
jenseits des Tores, sichtbar durch das Tor, in seiner
Mitte, weit dort hinten, noch in der Wüste, entsteht
ein schwarzer Punkt, verdichtet sich, wird schwärzer
und dicker, immer dicker, auch länger –
da stehe ich, vor der Nabatäerstadt –

Ich war nicht allein, – aber wo war die, mit der ich
war?

– es ist heiß, zwischen dem Himmel und mir flim-
mert die Hitze dick und schwerflüssig, quecksilbrig,
es brennt in mir, da stehe ich, ich sehe niemanden,
sehe nur auf diesen Punkt, der schwärzer wird,
jetzt wird er auch länger, vertikal, er nähert sich,
er schreitet, er geht von jenseits des Tores auf das
Tor zu, mir entgegen, jetzt hat er das Tor erreicht,
jetzt geht er hindurch, aber das Tor ist weit von
mir entfernt, zwischen ihm und mir liegt ein un-
geheuerlicher leerer Platz, Stadtplatz, Wüstenplatz,

der anschwellende Punkt durchschreitet den Platz, ist aber noch lange nicht bei mir, diese Figur, die größer wird und länger, sie schreitet mir entgegen – ist das der Tod?

Aber warum sollte er mir jetzt, hier, zu dieser Stunde, da ich mich nicht gegen Bilder wehren kann, da ich ihm in seiner widerlichsten oder lächerlichsten Gestalt ausgeliefert wäre – warum sollte er mir hier würdig entgegenschreiten, langsam, in einem wohlgewählten angemessenen Rahmen? Warum sollte er mir so und nicht als Scheusal erscheinen, mir, der ich ihn verachte und immer – vergeblich, ich weiß es – zu leugnen versucht habe? Ich müßte noch einmal leben, um alle meine Schmähungen wieder gutmachen zu können, und ich möchte nicht noch einmal leben, das nicht.

Aber er ist es nicht, der Tod, die Figur, sie kommt auf mich zu, sie schlendert, und sie ist nicht in schwarz, sie ist in weiß, sie trägt ein weißes Tuch über ihrem Haar. Das Tuch weht nicht, es geht kein Wind, es rührt sich nichts.

Da war sie. Aber wer war es? Welche Farbe hatte ihr Haar, ihre Haut, wie klang ihre Stimme? Immerhin, vielleicht habe ich sie geliebt, man ist nicht in der Wüste, in einer toten Stadt, mit jemandem, der einem nichts oder wenig bedeutet.

Sie trat neben mich, sie legte den Arm auf meine Schulter, ich war erlöst, daß es nicht der Tod war sondern eine Täuschung;

und jetzt ist die Sicht wieder frei, leer der Platz, offen das Tor, die Möglichkeit besteht also doch, daß er als Scheusal erscheine, eine widerliche oder lächerliche Figur, daß ich also recht habe, daß mein letzter Atemzug ein Lachen ist über die Lächerlichkeit des Todes, daß ich mich nicht erschrecken lasse, daß ich der Sieger bleibe. Und wenn ich auch mein ganzes Leben, in dieser eng verwobenen Kette nichtiger Dinge, aus der mein Leben besteht, – wenn ich mein Leben lang niemals habe Recht behalten wollen – und wahrhaftig, es war mir lästig, immer Recht zu behalten, ich wollte, ich hätte einmal Unrecht gehabt –, hier will ich Recht behalten, hier und dann nicht mehr. Und das, obgleich ich keine Zeit mehr haben werde, diesen Triumph auszukosten, meinen Sieg zu feiern – soweit man dieses endgültige Rechthaben einen Sieg nennen kann. Aber das kann man wohl. Wenn ich es mir recht betrachte, so wird es sogar der einzig wirkliche Sieg sein.

Da – da ist er wieder, der Punkt, er nähert sich wieder von weit jenseits des Tores, er schwebt von der anderen Seite darauf zu, schwebt durch es hindurch, diesmal bleibt das Schwarze schwarz, eingehüllt, vermummt wie eine Parze, ein Chorführer, der unhörbar ein Lamento anstimmt, ohne einen Chor, der seine Stimme vielstimmig aufnähme. Da ist er wieder, schreitet durch den Wüstennachmittag über den weiten gelben Platz auf mich zu, ohne Geräusch, schwarz – es erinnert mich – an was nur? – es erinnert mich an nichts, das ist es, an nichts, ich habe derartiges noch nie gesehen –

Aber er schreitet nicht mehr, er schwebt über dem Boden, schwebt auf mich zu, nein, er schwankt, nein, noch nicht einmal das, er flattert wie eine Fledermaus, er torkelt in der Luft wie ein großes schwarzes Flugblatt, das den Tod des Kaisers aller Reiche meldet, der Wind hat es hierhergetragen, obgleich hier niemand ist, den diese Meldung interessiert. Es ist der Tod, ja, das ist er wirklich diesmal, und er flattert, als hätte er in seinem lächerlichen unsäglichen Alter noch nicht einmal das Fliegen erlernt, noch nicht einmal das. Das ist lächerlich, ja – lächerlich – und ich lache – lache –

Habe ich geschlafen? Ein paar Minuten nur. Habe ich geträumt? Nein, nicht geträumt, soweit ich weiß. Wo war ich vorher? In der Nabatäerstadt. Überall. Nirgendwo. Auf einer müßigen Suche.

Allem ergeben. Auf alles vorbereitet, auf alles gefaßt.

Tynset. Wollte ich nicht nach Tynset forschen? Ja, das war es, das wollte ich. Den Wegen dorthin nachspüren, die Straßen nachziehen, nach Unterkünften suchen, Führer befragen, Landkarten entfalten –

Ich stehe auf und schlüpfe in meine Hausschuhe. Es ist mir kalt, ich trage nämlich ein Nachthemd, ein weißes, langes, lächerliches – aber seine Lächerlichkeit ist nur scheinbar, ich fühle mich wohl und würdig in diesem leinernen Tuch, ähnlich der Hülle, in der ich meinem letzten Tod entgegentreten werde, die kein Zugeständnis an Tag und Leben kennt, die den Schlafanzug verachtet, dieses bange Requisit des wohlgekleideten Herrn, dieser Hosenschlitz des stets bereiten Kavaliers, zugeschnitten, um nächtlicher Angst lässig und gewappnet entgegenzutreten.

Flasche nicht vergessen, ich wollte mir in der Küche eine neue holen. Ich nehme die Taschenlampe, ich gehe durch das leere Zimmer, in dem nichts ist als ein huschendes Knacken im Holz und ein leises Rauschen des Brunnens draußen, das ich im Schlafzimmer nicht höre.

Der Brunnen steht im Garten, unterhalb einer be-
wachsenen Mauer, er plätschert, hat immer ge-
plätschert und wird bis ans Ende allen Plätscherns
plätschern, hier ist Ewigkeit, hier plätschert sie dahin. Bei Tag wird er vom Tag übertönt, in der
Nacht aber übertönt er die Nacht –, nein, das nicht,
vielmehr ertönt er als eine der Stimmen, die den
Chor der Nacht ausmachen. Sein Wasser fließt im
Sommer und im Winter, es fließt und fließt. Im
Winter entstehen aus reflektierten, zerstäubten
Tropfen große runde unförmige Eisgebilde um den
Strahl, die das Geräusch dämpfen, es klingt dann
wie aus einer Grotte. Nur manchmal, Sommer oder
Winter, manchmal setzt der Fluß für den Bruchteil einer Sekunde aus, das Wasser spuckt und
stottert, verschluckt sich, es bilden sich geringe
Morsezeichen aus Stille, es huscht etwas Unsichtbares vorüber, irgendein anderer Tod mit seinen
Taschenspielertricks, der nur am Rande, und niemandem Bestimmten, sondern jedermann, der
gerade zuhört, als allgemeine und – wie mir
scheint – noch nicht einmal unfreundliche Warnung beweisen möchte, daß er auch das Wasser
spielend meistert, wenn er will.

Aber auch dieser Tod ist nicht der meine, meiner
ist nicht dort am Brunnen, er ist auch nicht im

Schnee am Paß, nicht in der Stadt in der Wüste, meiner ist im Haus, bei den trocknenden Kräutern etwa, oder eben hier, in diesem leeren Zimmer. Er versucht, Würde zu bewahren, das muß man ihm lassen. Hier tritt er hin und wieder auf, versteckt, aber doch diskret sichtbar, er will nicht stören, da steht er denn, wie von ungefähr, hinter zugezogenen Vorhängen an einem frühen Abend oder in einer schweren Mittagsstunde, verschwindet wieder, taucht unerwartet wieder auf, kürzer als zuvor, aber eindringlicher, ein wenig deutlicher, beharrlicher, ist hinter mir her, gelenkig, schlendernd, vielleicht übt er seinen Sprung, folgt mir in die Bibliothek und von dort in andere Räume, oder geht sogar vor mir her, dreht sich kurz nach mir um, als suche er einen anderen, verliert sich im Gewinkel oder kommt mit mir, erschwert mir die Suche nach irgendeinem, lange nicht mehr benutzten Gegenstand, läßt, wenn ich ihn dann gefunden habe, die Erinnerung an seinen letzten Gebrauch jäh aufleuchten, verschwindet wieder, ist wieder da, ich sehe sein falsches Lächeln, er scheint um Nachsicht zu bitten, er sei ja nur Diener im Dienst eines Höheren. Manchmal grinst er – gewiß, der Tod grinsend, das ist ein banales Bild, aber er grinst eben, er ist eben banal – er grinst also, wenn ich mir der Überflüssigkeit einiger überkommener Gegenstände beschämend bewußt werde, die ich da irgendwo aus dem Staub ziehe, Gegenstände, die wie alte Boten vor Jahren jahrelang ihren Nebendienst verrichtet haben –, da steht er denn neben mir, und plötzlich fällt etwas aus meiner Hand, zerbricht am Fußboden, oder irgend etwas fällt ohne Anlaß von den Regalen, da ist er, und da bin ich, ich stehe da und habe einen Splitter im Auge wie der kleine Kai, und plötzlich wird das Schöne fragwürdig, das Fragwürdige lächerlich, und das Lächerliche lächerlicher als zuvor, ja, wertlos, gestern noch einem angemessenen wenn auch unbedeutenden Platz zugehörig, heute versteinert und verstaubt, unerträglich. So verlieren die Dinge um mich ihren Wert.

Nein, nicht alle Dinge. Über die Räume verstreut stehen und liegen und hängen vereinzelt Gegenstände, angeschafft nicht um des Besitzes sondern um des Rätsels willen, das ihnen anhaftet –nein, ich drücke mich schon wieder falsch aus: es haftet ihnen kein Rätsel an, vielmehr sind sie Zeugen vergangener Rätsel, stummes Material, ohne Versprechen einer Enthüllung, diskrete Hüter ihrer Geheimnisse; meine beiden Betten zum Beispiel, oder jenes Gemälde, das ich ins Nordlicht eines der oberen Räume gehängt habe.

Da hängt es, ein Querformat, in einem schweren vergoldeten Stuckrahmen, ein Stück verhärteter alter Leinwand, die Ölfarbe darauf vielleicht vor hundertfünfzig Jahren aufgetragen, brüchig, rissig und matt, tief gedunkelt, schwarz, so daß es auch nicht den geringsten Schluß zuläßt, was es einmal dargestellt haben mag. Links unten ist es signiert »Jean Gaspard Muller«. Die Signatur ist nicht gedunkelt. Es gibt hier also zwei Möglichkeiten: entweder ist die Signatur später entstanden – aber das ist unwahrscheinlich, denn wer sollte ein dunkelndes oder schwarzes Bild signiert haben, wenn nicht der Maler? – oder dieses Bild war schon immer schwarz; hier hat, vor hundertfünfzig Jahren, ein Mann, der Muller hieß, ein schwarzes Bild gemalt. Jean Gaspard. Gaspard de la nuit. –

Ich bin in der Bibliothek und mache Licht. Bücherwände leuchten auf. Ja, Bücherwände, das ist das rechte Wort. Wo finde ich etwas über Tynset? Wo in diesen Reihen und Stapeln, seit Jahren nicht mehr geordnet, seit dem Einziehen des Ankers, dem Beginn meiner langsamen, zuerst nicht wahrgenommenen Entfremdung, dem Verlust der Gesichtspunkte, nach denen Bücher und derlei zu ordnen wären?

Ich suche über den beiden Fächern mit Telefonbüchern und Kursbüchern, die ich lange gesammelt habe und immer noch sammle, wenn auch nicht mehr mit aktiver Bemühung oder mit Genuß an der Acquisition, vielmehr beiläufig dem Zufall vertrauend – ich suche dort, wo ich die Reiseführer vermute, deren ich einige habe –, aber es stehen hier keine Reiseführer, sie müssen an anderer Stelle stehen. Hier hat sich anderes gesammelt, ich sehe schon, es ist das Fach der Miszellen, der Beiträge, hier habe ich abgestellt, was man mir schickte, die wohlgemeinten Gaben, hier steht geduldiges Papier, schuldloser Druck, Zeugen des Irrtums, der falschen Bewertung aller Dinge, und der falschen Einschätzung dessen, was mich bewegt und je bewegt hat.

Mieses – van der Raalte: ›Die hundert schönsten Schachpartien der Welt‹.
Vangatesha Narayana Sharma: ›Das Buch der sieben Wahrheiten‹, mit einem Vorwort von Carl Gustav Jung.
Uhlands Opern- und Operettenführer.
Pönsgen-Bscherer: ›Abriß der Sozialhygiene‹.
Nochmals das Buch der sieben Wahrheiten. Mir fällt ein, daß ich davon mehrere Exemplare besaß. Ich bekam dieses Buch mehrere Jahre lang zum Geburtstag, immer wieder, immer von derselben

Spenderin, einer vergeßlichen mütterlichen Freundin, die östlicher Philosophie verhaftet war, bis sie sich plötzlich einer nationalen Bewegung anschloß und ihre hartnäckige Schenkung demonstrativ einstellte. Ihr Name ist mir entfallen. Weiter:

Polycarp Schmiehelt S. J.: ›Christentum und Atombombe‹.

›Bleibt Deutschland ein Problem?‹ Ein Symposion, herausgegeben von Gerhard Schürenberg und Walter Maria Menzel.

Univ. Prof. Dr. Karl Wilhelm Herrenacker: ›Wer war die Gemahlin Parsivals, Lohengrins Mutter?‹ Beiträge zur deutschen Mythologie, Band 97.

Eine Logarithmentafel.

›Was bleibt?‹ Ein Beitrag zur Situation der heutigen Gesellschaft, von Theodor Gesenius-Everding.

Hans-Gert Oppelt: ›Die Grenze‹, Roman.

Ein Bildband: ›Schönes Kochertal‹.

Odoard Smyrrka: ›Hylosved Amsjeda Hamleta gorevle?‹

Wie kommt dieses Buch hierher? Gelesen habe ich es nicht, ich verstehe diese Sprache nicht. Hat es mir jemand geschenkt, der mich dieser Sprache für kundig hielt?

Ich nehme den Band aus dem Regal. Eine Briefseite entfällt ihm, auf der steht:

sangen, improvisiert, als Biedermeierpärchen

verkleidet, Vetter und Cousine eine Dichtung und Komposition unseres Urgroßvaters v. Borsig. Er hatte das Duett für irgendeine goldene Hochzeit geschrieben. Dabei entwickelte Gudrun einen bezaubernden Charme und Ernst-Ulrich eine hinreißende Komik. Später spielte Gudrun die Schumannschen Papillons. Und als letztes begleitete sie die von ihrem Vater gedichtete, illustrierte und komponierte Moritat über Rita und Karl, die Hildegard und ihre Schwiegertochter reizend vortrugen. Wahre Berge von Torten, Brötchen und ausgezeichneter Sekt und später Wein trugen das Ihre zur Vervollständigung eines sehr gelungenen Abends bei. Außer uns waren noch unzählige Verwandte da: die vielen Tanten und Cousinen von Hildegards Mutters Seite (Fam. Rüdel) und Ritas Vaters Seite (Steigerers aus Mainz) und von Tante Lissys Mutters Seite (Schickel, Bonsels, v. Brandenberg, Selbach). Natürlich kamen auch Elsbeth und Richard. Letzterer und ein sehr unterhaltender Mitbewohner von Ritas Haus, ein Herr von Bodebeck, erzählten sich Witze. Der kleine Gerhard und Fee hatten das bald heraus und gesellten sich den beiden zu. Zum allgemeinen Gaudium flocht auch Gerhard hin und wieder einen guten Witz aus seinem Repertoire

ein. Richard hat übrigens eine ganz reizende
Rede in seiner leichten, witzig-spritzigen und
zugleich warmherzigen

Hier endet die Seite. Wie kommt sie in diesen
Band, wie kommt der Band hierher? Rätsel, aber
diesmal von der nichtigen Sorte, keiner Verfolgung
wert. Ich will nicht wissen, wer diesen Brief geschrieben hat oder an wen er gerichtet ist, ich kenne
keine der Personen, von denen er handelt –, wenn
mir auch der Name Selbach bekannt vorkommt,
Erhard ist sein Vorname –, aber die Sicht, die dieser
Text bietet, wird gegenwärtig, sie haftet, bohrt sich
ein, weitet sich, öffnet Ausblicke, bewegt, perspek-
tivisch, in den Alltag, deren Krönung dieses Fest
ist, und in die Vergangenheit seiner Teilnehmer,
ihre Gegenwart, ihre Zukunft, die Zukunft ihrer
Kinder, jetzt wird mir sehr kalt, ich gehe zurück
ins Bett, lege mich wieder hin. In der Hand habe
ich eine leere Flasche, ich stelle sie auf den Nachttisch.

Ich wollte nach Tynset forschen, aber ich frage
mich, wozu? Was wollte ich eigentlich wissen? Was
von dem wenigen, das wissenswert ist, weiß ich
noch nicht? Oder vielmehr: das Wissenswerte will
ich ja gar nicht wissen. Was läßt sich von einem
Ding oder einem Ort durch Beschreibung über-

haupt mitteilen? Nichts. Keine Sicht, kein Blick aus dem Küchenfenster über den Hinterhof auf ein wenig flatternde Bettwäsche an der Leine, dahinter, inmitten eines Hühnerhofes mit roh vernagelten und vergitterten Ställen, ein verrostetes Dreirad, die obere Hälfte der Klingel fehlt, eine abgestellte Gießkanne, und hinter dem Hof ein dichter aber magerer Wald, kein Schnee auf der Erde oder in der Luft, noch nicht. Noch kein Schnee, der, wenn er herabsinkt, Staub und Gießkanne und Dreirad und alle vergessenen Dinge des Sommers und das Vergessen selbst bedecken und das Bedeckte verzaubern wird, aber das steht nicht im Führer.

Was soll ich von Tynset erwarten? Kein seltener Vogel ist hier gesichtet worden –, dafür hat aber auch keine Schlacht hier stattgefunden – keine ›Schlacht bei Tynset‹ – und soweit ich weiß, ist hier auch noch keine Wagnersängerin geboren, gibt es nichts das sich aufzeichnen oder nachmalen läßt. Geräusch läßt sich nachmalen, Stille nicht, Sturm ja, aber ein leichter Luftzug, der Gras zwischen den Steinen bewegt, nicht. Eine Revolution ja, keine Revolution nicht, was geschieht ja, was nicht geschieht nein.

Nach Tynset also?

Eine lange Bahnfahrt, auf der ich mich nicht recht sehe. Der letzte Teil ja,

umsteigen in Hamar, und der Schwung in die große Kurve der Nebenlinie, und dann eine holprige zugige Fahrt durch das Tal aufwärts. Aufenthalt in Elverum, das ja, Abwarten des Gegenzuges auf freier Strecke, ja – aber eben erst der letzte Teil –

der erste Teil nein, ich sehe mich nicht mehr auf den Hauptstrecken des großen Eisenbahnnetzes, sehe mich nicht im Gedärm einer mikroskopisch kleinen Raupe über die Kruste einer mittelgroßen Kugel kriechen, die selbst in rasender Bewegung ist, –

– ich sehe mich nicht bei sinkendem Abend im Raucher- oder Nichtraucherabteil sitzen, in einer wachsenden Schicht von klebrigem Ruß oder Staub, angelehnt an einen Fetzen gebißfarbener Spitze, die den Kopf vom Plüsch trennt, sehe mich weder allein noch gegenüber Mitreisenden und deren verankerten Zielen: eine verheiratete Tochter in Bad Kissingen, eine Verbandstagung in Bad Rendsburg oder Lausanne –, und es ist zu heiß oder es ist zu kalt, und draußen ist es dunkel, im Fenster ist nichts als ein trüber Spiegel des Abteils, alles noch einmal, Raum und Besatzung, Spesenverzehrer und Kriegsrichter außer Dienst und fette Schäker auf Suche und Großmütter, denen man es nicht ansieht, nein, und hinter ihnen Bilder von der Mädelegabel und vom verlorenen Naumburger Dom –

oder im Schlafwagen, unter der Nacht hindurch, unser aller Ziel entgegen, die Wolldecke so straff unter die Matratze gespannt, daß ich die Füße entweder beide nach rechts oder beide nach links oder einen nach rechts und den anderen nach links halten muß, niemals aber, wie dann erst im Sarg, beide Füße nach oben, so daß die großen Zehen einander berühren, nein, das sehe ich nicht,

ich sehe mich nicht mehr über die Schienen getragen, höre mich nicht auf die Fugen fallen, höre mich nicht über die Brücken rauschen, oder im zugigen Echo der Föhrenwälder –

und spüre mich nicht in diese Einfahrt der Großstädte getragen, der Hauptstädte, in diesen Schnitt in die Anatomie, in den Darm des Kopfbahnhofes, der sich dauernd füllt und entleert, höre mich nicht über die Brüche der Schnittlinien poltern, wo die Gleise sich spalten oder einander kreuzen, das holprige Feld, das sich da aus einem zweispurigen Pfad plötzlich entfächert, ein Schlachtfeld, voller Irrlichter, an dessen Seite ich mich nicht fahren sehe, entlang einer schwarzen Mauer, entlang einer schlammigen Straße, dahinter Fassaden, grindig und rußig, mit toten Löchern und Lichtern mit Ausblicken auf ewige Verdammnis, die hier haust, um von Generation zu Generation ihre Opfer zu wechseln, mit einer wachsenden Anzahl fertig zu werden, vorbei daran und hinein in das Echo der Halle, erstickte Rufe, steckengebliebenes Schluchzen und verkrusteter Ruß, der nach oben steigt und mit Wasser vermischt herabtropft, auf Bahnsteig und Zug, in dem ich mich nicht sehe –

Dennoch, ich will nach Tynset fahren, mein Wunsch versteift sich, ich komme nicht davon los –
obgleich auch Tynset letzten Endes nichts anderes sein wird als eine Bestätigung dessen was ich seit je ahne und seit langem weiß: daß ich im Ungeheuerlichen mich bewege, scheinbar frei, in Wirklichkeit gebunden, in einer Gefangenschaft mit versteckten Mißhandlungen, die oft – nein: die manchmal wie Liebkosungen erscheinen, für die wir aber mit schwerer Münze bezahlen müssen – in einem Käfig, ohne Möglichkeiten.

Oder gab es Möglichkeiten? Nein, es waren scheinbaren Möglichkeiten, ich war in einem weiten, wechselnden Raum, wechselnd im Schein der scheinbaren Möglichkeiten – in Wahrheit aber voller Täuschung. Alles Täuschung, ja, Täuschung, die See, der Wind, in dem ich stand, allein – oder auch der Wind, in dem wir standen, zu zweit – das blonde Haar, das wehte – oder auch andere Augenblicke – das Labyrinth zum Beispiel, in dem großen Park, in den Bergen – nein, Berge waren es nicht, es waren Hügel, die euganeischen Hügel, ja, so heißen sie: die euganeischen Hügel. Der Park gehörte zur Villa Valsanzibio. Nein, das Dorf hieß Valsanzibio. Aber wie hieß die Villa? Sollte ich jetzt doch beginnen, die Hintergründe meines Lebens zu vergessen? Und die Landschaften? Das wäre das Ende.

Villa Barbarigo hieß sie. Nein, diese Dinge vergesse ich nicht, noch nicht. Villa Barbarigo. Aber die Villa war nicht mehr da, sie war verschwunden, die Zeit hatte sie gefressen. Dort wo ihre Zähne nicht gefaßt haben, hatte sie einen Rest von Stallungen übriggelassen, blätternd, bröckelnd – aber der Park mit den langen raschelnden Alleen, mit dem Labyrinth, der stand noch da, und alles war geradlinig und gepflegt, ist es wahrscheinlich immer noch. Wenn ich bedenke, daß alles dies noch steht –

da war das Labyrinth, in einem langen, späten Frühling, mit seinen engen, mannsbreiten, tückischen Gassen zwischen Taxuswänden, Taxusmau-

ern, mannshoch, aus frischem dunklen Grün, scharf
und gerade geschnitten, senkrecht wie mit dem
Senkblei, die Ecken kantig gestutzt, scharf bis zum
Schneiden – kein Wind, nur ein Kissen von frischer
kühler Luft über allem, und eine Handvoll junger
Leute, wahrscheinlich Studenten aus Padua, liefen
durch die Gassen und fanden einander nicht und
fanden auch den Ausweg nicht, lachend riefen sie
einander Anweisungen zu, a sinistra, a destra, diritto, sempre diritto, dov'è, sono qui, sie lachten,
ja, aber es klang wie ein Lachen mit trockenem
Mund, es klang, als lachten die Augen nicht mehr
mit, als hätten sie sich ausgelacht. Und schließlich
dämmerte es, es wurde dunkler im Park, schwärzer im Laub, und sie suchten immer noch, liefen
sinnlos hintereinander her, aber sie lachten nicht
mehr, riefen nur noch hin und wieder, fanden den
Ausweg immer noch nicht, bis ein Wärter kam,
der betrat, begleitet von seinem Hund, den Altan,
von dem man das Labyrinth überblicken konnte,
er überblickte es ernst, nahm das Bild auf, wie ein
Feldherr die Lage der Schlacht, und streute ein
paar knappe strenge Anweisungen hinab über die
jungen Leute, die nun stumm waren. Er warf ihnen die Lösung des Rätsels hin, und da traten sie
wieder hervor, langsam, einer nach dem anderen,
ernüchtert, die Augen von einem kurzen Schrek-

ken getrübt, als hätten sie dem Tod ins Angesicht gesehen. Wahrscheinlich hatten sie genau das getan.

Und ich?

Ich war im Park, in einer Allee von Zypressen und hörte das Lachen und die Rufe von weitem, und ich war auf dem Altan und sah hinab auf die Köpfe, und ich war im Labyrinth, in allen Gassen gleichzeitig, ich irrte selbst umher, ich war innen und außen, war über allem und unter allem, ich war allein und ich war zu zweit –

– zu zweit? Aber mit wem? Sie hatte eine dunkle Stimme, die sagte: ›Komm, es wird dunkel‹, oder: ›it's getting dark‹ –, oder sagte sie: ›fa buio‹? – Nein, das sagte sie nicht, ich erinnere mich nicht an ein u, es war ein a, dark – dark –. Welche Farbe hatten ihre Augen? Ich weiß es nicht mehr, ich habe es vergessen wie ihren Namen, ich entsinne mich nur noch der Hintergründe, der Szenerie, die Darsteller sind entschwunden, haben sich längst umgekleidet und verwandelt, vielleicht haben sie sich artig und lächelnd vor mir verbeugt, aber diesen Moment habe ich versäumt, vielleicht hielt ich die Augen geschlossen in dem Moment, da ich hätte applaudieren sollen.

Nichts mehr davon, keine Bilder mehr, keine Gespräche und keine Stimmen. Keine dieser Augenblicke, das ist jetzt endgültig vorbei. Hier liege ich, hier sind meine Betten, ist mein Haus, in dem ich bleibe, und sollte ich es je verlassen, so verlasse ich es, um nach Tynset zu fahren, aus einem anderen Grunde verlasse ich es nicht.

Tynset, mein einziger Plan, das einzig mögliche Ziel, sonst bin ich ohne Plan oder Ziel, ich bin ohne Schuld – besser vielleicht, vorsichtiger gesagt: ohne wesentliche Schuld –, daher auch ohne Pflicht. Ich habe nichts gutzumachen, nichts reinzuwaschen, jedenfalls wüßte ich nicht was. Niemand hat, soweit ich weiß, durch mich gelitten. Ich bin ohne Last, außer der Last des Lebens, ohne Aussicht außer der Aussicht auf die Dinge hier in diesen vier Wänden und auf die Wände selbst, ich bin ohne Geräusch außer dem meines Herzens und des Hahnes, bin allein, ohne Gesellschaft außer der Gesellschaft meiner Möbel, meines wunderbaren Winterbettes, umringt von treuen Vierbeinern, als da sind: zwei Polstersessel, von jahrelangem Gesäß ausgehöhlt, und mein Nachttisch, mein naher guter Gesell, alterslos, mir immer zu Diensten, trägt mir alles was ich brauche, reicht mir stumm alle Gegenstände meiner Nacht, und stumm nimmt er alles wieder auf. In sein Inneres blicke ich selten, vielleicht fürchte ich dort drinnen, irgendwo tief, den Zeugen einer unerledigten Sache oder einen versteckten Vorwurf, verjährt und doch noch lebendig, deshalb greife ich blind hinein, nach den Nagelreinigern, den Pfeifenstopfern, all diesen Dingen, von denen ich zeitweise mehrere, zeitweise überhaupt keine besitze, taste nach Gläsern, Dosen, Röhrchen und Fläschchen, gegen Halsweh und rauhe Haut und Föhn, gegen die Begleiterscheinungen also des Lebens und seiner Gezeiten –, alles mehr oder minder gut verträglich, unschädlich so lange, bis es schädlich geworden ist, mit oder ohne auftretende Nebenerscheinungen, vor oder nach dem Essen einzunehmen, trocken zu kauen oder auch zu schlucken, mit wenig Flüssigkeit oder mit viel. Und dazwischen liegen die Manschettenknöpfe, längst nicht mehr gebraucht, wertvolle Erbstücke, heruntergekommen, am Ende ihrer Laufbahn, mit illustrer Vergangenheit und unsicherer Zukunft. Wohin gehen diese Stücke von hier? Wer ist mein Erbe? Und die Weinflasche leer, Tabaksbeutel auch, die Teetasse mit getrocknetem Satz und braunem Rand, der Aschenbecher voll, und voll alles hier was Abstellfläche ist, und alles Waagerechte ist Abstellfläche, darauf überall Abgestelltes und Abgelegtes, abgelegt gestern oder vor Jahren, Zeitungen und Zeitschriften, und darauf das Telefonbuch, eines von vielen, schwer, flexibel, verliert leicht sein Gleichgewicht, rutscht und zieht anderes nach sich –

mein Nachttisch, mein guter Gesell zur Nacht, ich streichle ihn, betaste ihn –,

und das Telefonbuch rutscht, zieht das Kursbuch mit sich, zieht einen Stoß von Zeitungen mit sich, eine Ladung von angesammeltem vergilbendem Zeitgeschehen klatscht auf den Fußboden, ein papierener Vorwurf mangelnden Interesses an diesen Tagen, am sogenannten Zeitgeschehen, und bleibt als Haufen liegen und wartet darauf, daß ich ihn zur Kenntnis nähme.

Gut also, ich werde ein wenig aufarbeiten, die zuoberst liegende Zeitung lesen, die aus dem Jahre 1961 ist, obgleich ich mir eine von unten hervorziehen sollte, die noch älter ist. Ich nehme so ein Blatt zur Hand, entfalte es und sehe

ein Bild: Landschaft mit zwei Figuren: der Kriegsminister – oder wie es so heißt, im Schonwortschatz der letzten Jahre, geprägt, um eine nach oben steigende Beunruhigung abzuschöpfen und erkühlen zu lassen: – der Verteidigungsminister küßt den Ring des Kardinals. Den Kardinal hat inzwischen sein Gott zu sich genommen, den Minister noch nicht; – eine Großaufnahme aus der Nähe. Die Szene findet auf einem Flugplatz statt, im Hintergrund steht ein Flugzeug, wahrscheinlich startbereit, wenn auch nicht ersichtlich ist, wen von den beiden es mitnehmen wird, vielleicht beide, Staat und Kirche, durch die Luft, irgendeinem gemeinsamen irdischen Ziel entgegen. Jedenfalls scheint hier ein verabredetes Treffen festgehalten zu sein, denn es ist nicht wahrscheinlich, daß Kardinal und Minister einander hier, auf einem Kreuzungspunkt des großen Verkehrs, zufällig begegnet sind. Vielleicht waren ihre Züge über dieses Feld vorbereitet, ein Plan auf Minuten ist hier befriedigend verwirklicht, und die Verwirklichung dokumentarisch belegt.

Der Minister hält in der linken Hand seinen schwarzen Hut und die schon im Schreiten abgenommene Sonnenbrille. Mit der rechten hebt er, mit angewinkeltem Arm, die rechte Hand des Kardinals auf eine Höhe, die es ihm erlaubt, bei leichtem Einziehen des Kopfes, leichter Verkürzung des ohnehin kurzen Halses, ohne allzu stark geneigte Haltung, die ihm Ehrerbietigkeit zwar gebietet, der Umfang seiner Körpermitte jedoch nicht gestattet, den Ring in die Nähe seines Mundes zu bringen. In Wirklichkeit aber zieht er die Hand waagerecht ein paar Zentimeter an sich heran, so daß die Fingerspitzen des Kardinals beinah sein Kinn berühren und er somit den Ring nicht unter seinen Lippen sondern unter seinen gesenkten, dem Schein nach geschlossenen Augen hat. Indessen, sie sind nicht geschlossen, vielmehr sind sie schlitzartig offen und auf den Ring gerichtet, als wollten sie seinen Wert schätzen, was sie wahrscheinlich auch tun, das heißt: sie schätzen den symbolischen Wert, hinter dem der materielle Wert, wenn auch beileibe nicht gering, zurückbleibt. So sind denn auch die Lippen nicht etwa zum Kuß gespitzt, sie lächeln vielmehr und bestimmen damit den verschmitzten Ausdruck des Gesichtes, der die Gesamtfigur in ihrem Umriß der Demut Lügen straft. Denn das über den Ring gebreitete Lächeln spiegelt nichts anderes wider als Vergnügen an der Gelegenheit, hier, in einem Zentrum des Verkehrs, vielen Augen sichtbar, einer frommen Pflicht nachzukommen und eines, wenn auch nur beiläufig erteilten, Segens teilhaftig zu werden, dessen der Lächler zwar nicht bedarf, denn die Fäden, mit denen er sein Schicksal knüpft, sind längst andernorts, an weltlich sicherer Stelle eingefädelt, den er aber auch wieder nicht missen möchte, denn er würzt das Gericht auf seinem Herd und macht es für jene schmackhafter, die es auszulöffeln haben. Ein klarer Fall, kein Geheimnis hier.

Nur eben – aber das sehen die gesenkten Augen des Ministers nicht – denkt der Kardinal gar nicht daran, den glänzenden Schädel, das feiste Rund da unter ihm zu segnen, zumindest nicht gerade jetzt. Zwar überläßt er ihm willig seine Hand, als wolle er ihn seine Aktentasche tragen lassen, jedoch den Küsser selbst beachtet er nicht. Vielmehr sieht er über ihn hinweg ins Weite, aber nicht ins Jenseitige, nein, sein Blick ist waagerecht, seine Augen sind auf einen ganz bestimmten Punkt gerichtet, an dem etwas sich zu vollziehen scheint, das seine Aufmerksamkeit von dem küssenden Minister ablenkt. Auch er lächelt – er lächelt immer, wenn er nicht betet, meist verzeihlich, oft aber auch schmerzlich, weil es so viel zu verzeihen gibt – und zwar lächelt er jetzt diesem bestimmten Punkt dort hinten entgegen, als habe er sich dort einen Platz gesichert und freue sich darauf, ihn sogleich einzunehmen; nicht einen Platz im Flugzeug sondern einen, der ohne Flugzeug zu erreichen ist, aber nur für ihn und seinesgleichen: ein festes Ziel; – und die Linie, die von seinem Nasenflügel zum Mundwinkel führt, und das Lächeln mit dem automatischen mechanischen Verschluß, auf einen genau gemessenen und der Situation gemäßen Grad eingestellt, verrät den festen Willen, diesen Platz dort hinten skrupellos zu verteidigen.

Mir fällt ein: Möglicherweise ist es aber auch kein
Platz sondern eine Lehre, die gerade in jenem,
nicht einmal opportunen, Moment einer öffentlichen Begegnung dort hinten mit besonderer Klarheit vor seinem Auge auftaucht, eine Lehre, über
die er lange gegrübelt hat, die aber in diesem Augenblick plötzlich in ihrem Wortlaut vor ihm steht,
in dem er sie von seinem unfehlbaren Gebieter
prüfen lassen wird; vielleicht ist dies der Grund,
weshalb er in Eile ist, weshalb der Minister ihm
nicht gelegen kommt – und jetzt fällt mir ein,
daß er es war, er zusammen mit ein paar spanischen Kollegen, der für ein neues Dogma eintrat, das demnächst nun, aus scheinbar heiterem
Himmel, verkündet werden und Galilei wider-
legen wird, ein Dogma, an dessen endgültiger
abgerundeter Form sie in den Klausuren noch
feilen: daß die Sonne sich doch um die Erde
drehe –,

und nun ruhen diese spanischen Kollegen nicht,
die Brüder aus Sevilla und Valladolid und Burgos
und Salamanca mit ihren mächtigen Leibern unter den Schärpen aus changierendem Taft, sie sehen
den Schacht und wollen noch einen hindurchzwän-
gen, hinauf, empor, wollen Philipp den Zweiten
heilig am Himmel sehen, was ihnen ihre deut-

schen Brüder, die dünneren mit den metallgerän-
derten Kneifern, auch gern zugestehen, unter der
Bedingung, daß auch sie einen nachschieben dür-
fen, einen dieser kreuzfahrenden Abenteurer, der
soll den Spanier auf seiner Himmelfahrt beglei-
ten, sie haben auch schon das Einverständnis ihrer
lustigen leutseligen amerikanischen Kollegen ein-
gehandelt, die verlangen dafür allerdings, daß
auch einer dieser Kerle, die in ihrem Erdteil Un-
gläubige ausgerottet und damit den Samen zum
Glauben auf leere Erde gestreut haben, so ein
Cortez etwa oder ein Pizarro – – genug, genug!

Was steht hier noch, außer meinem Winterbett,
meinem wunderbaren wertvollen Besitz, in dem
der große Mörder lag, der große Schlaflose, Ein-
same, Grausame, Unverstandene, Unverständliche,
kein Zauderer wahrhaftig, kein Hamlet, sondern
ein Täter, ein Übeltäter? – Lag und wachte, eine
Baßlaute zwischen seinen langen gotischen Fingern, anschlagend und horchend, den Blick auf
eine Ferne gerichtet, in der er nichts fand, der
Blick blieb leer. –

Außer Bett und Vierbeinern ist da mein Betstuhl.
Er muß, wie beinah alles in diesem Haus, meinem
Onkel gehört haben. Woher er ihn hatte, weiß ich

nicht, er betete jedenfalls nicht. Auch ich bete nicht, dennoch habe ich ihn zwischen Nähmaschine, Harmonium, Kinderstall und anderem Gerümpel aus dem Schuppen hervorgeholt, habe ihn geputzt, poliert und hier aufgestellt. Ich denke, daß sich Celestina seiner bedient, wenn sie hier beim Aufräumen der Drang zum Beten befällt; ich selbst betrachte ihn nur vom Bett aus, nicht weil er schön wäre, obgleich er nicht häßlich ist –, ich sehe nicht auf seine Schönheit, ich sehe auf den, der da kniet und betet, sehe den feisten, fleischigen Rücken des Königs von Dänemark, ich bin Hamlet, ich sehe meinen Onkel Claudius, kauernd oder rutschend vor dem Stuhl, im Versuch, sein Verbrechen betend abzuwälzen, aber ich töte ihn nicht, ich verzichte, ich handle nicht, andere handeln, ich nicht. Ich sehe über die Schulter auf diesen Rücken, ich höre sein atemloses zischendes spuckendes Gebet, die Worte, wie sie ihm aus dem Munde purzeln, um am Boden zu zerbrechen, oder wie sie in Schwaden stehen bleiben, sinnloses Geschwafel, stinkend, rauchend, schwelend wie Kains Gebet – –

– nein. Das nicht, nicht Kains Gebet. Kains Gebet rauchte nicht und schwelte nicht. Es war, indem es um nichts bat, ein gutes, anständiges Gebet, vielleicht eines der letzten guten Gebete – da mag ich mich täuschen –, bestimmt aber das erste. Nur war es eben sinnlos, denn der Gott, an den es sich richtete, war anderweitig beschäftigt, es beliebte ihm, das Gebet nicht zu erhören, das wirft kein schlechtes Licht auf Kain sondern vielmehr auf seinen Gott. Und warum erhörte Gott es nicht? Dieses Rätsel ließ mich lange nicht ruhen. Ich habe nie so recht über es hinweggehört oder hinweggelesen. Und unerwartet leuchtet es noch heute mitunter rot zwischen den Zeilen eines x-beliebigen Buches oder einer Zeitung auf. Es war das erste Rätsel, das mir entgegentrat, es ließ mich stolpern und hinfallen. Ich stand mühsam auf, verletzt und erstaunt, ich hatte kein Rätsel erwartet, zumindest nicht gerade hier, so nah am Anfang und nicht so früh, ich ging weiter, ein wenig langsamer als zuvor, ein wenig hinkend, aber mein leichtes Hinken nach Möglichkeit verbergend, mich seiner schämend, ich blickte auf das Rätsel zurück, da sah ich, wie es mich angrinste, offensichtlich hatte es schon manchen anderen zu Fall gebracht und freute sich jedesmal über den Fall. Es grinst noch heute unter all den grinsenden Rätseln, aber es war das erste, der Anfang aller Rätsel. Es ist aber auch der Anfang allen Unrechts, Anfang der Schuld Gottes, der aus keinem Grund Kain nicht gnädig ansah

und sein Opfer aus Früchten des Feldes verschmähte, es in schwarzen rauchenden Schwaden am Boden schwelen ließ, so daß es den Opfernden zum
Husten brachte, ihn beinah erstickte, während er
Abels Opfer, dampfendes Fleisch und Blut von
ihm selbst zum Ruhme seines Gottes geschlachte-
ter Tiere, Gedärm und Innereien und alles, zu sich
aufsteigen ließ, genüßlich und in wohlgefälliger
Betrachtung des Opfernden, der seinen Gott erkannt hatte und ihm die Wünsche vom Gesicht ablas, Gott wollte Fleisch. So war es, nicht anders.
Diese Willkür, diese verletzende Laune Gottes
glaubte Kain nicht ertragen zu können, er hatte
seinen Schöpfer ernstgenommen, hatte ihn geliebt,
vergöttert, und in furchtbarer Enttäuschung er-
schlug er dessen Günstling, den eigenen Bruder,
ja, so war es, und wurde dafür auf immer und
ewig von ihm verdammt.
Es steht da geschrieben, Kain sei von heftiger, ei-
fersüchtiger Gemütsart gewesen, Abel dagegen
sanft und fromm. Aber wer hat das geschrieben?
Der eifersüchtige Bauer und der fromme Jäger
und Schlächter: Kain böse und mißgünstig, Abel
gut und rechtschaffen –, nein, das ist nicht gut
genug, diese Ordnung nehme ich dem Schöpfer der beiden nicht ab, geschweige denn seinen
Chronisten, ich wüßte auch nicht, wer sie ab-

nähme außer den fragefeindlichen Abnehmerver-
bänden –, ich frage, und meine Frage hallt durch
das Haus durch die Nacht, und auch Celestina soll
sie spüren –, ich frage: was gab es zu Kains Zeit
an Gegenständen der Mißgunst, der Eifersucht,
der Bosheit, der Niedertracht, schlechter Gelüste,
unsauberer Gedanken? Die Erde soeben erst erschaffen, bevölkert von nicht mehr als vier Menschen, zwei davon schon ungerecht bestraft, ihr
Leben verwirkt, was gab es da an Dingen und
Gedanken, an denen das Böse sich hätte bilden
können, was stand auf der Erde, an dem es sich
hätte aufranken, in welchem Loch hätte es sich
einnisten können? Wo war der Ansatz, an dem es
sich eingefressen, sich ausgebreitet und weiterge-
fressen hätte? Nirgends. Nichts da als ein trüge-
risches Paradies und Wüste und das schreiende
Unrecht Gottes, dem es behagte, Kain zu verderben. Eine schwere Belastung, ein Makel, ein Zeichen an der Stirn, das haftet, nicht an Kain sondern an seinem Schöpfer. Los davon!

Los von dieser Hand im Spiel, los von dem Spiel!
Was wollte ich noch? Was wollte ich vorher? Ich
wollte nach Tynset fahren, richtig. Aber nicht mit
der Bahn. Mit dem Wagen, und bald, solange alle
die Straßen noch passierbar sind.

Ich sollte den Straßenzustandsbericht hören. Straßenzustandsbericht. Kein schlechtes Wort, wenn ich es mir recht betrachte. Drückt das aus, was es ist, und hat sogar noch einen gewissen metrischen Rhythmus. Straßenzustandsbericht und Schneebericht und Lawinenbulletin, das ist das beste: Lawinenbulletin. Das klingt nach einem Programm von Katastrophen. Und warum nicht? Haben denn die Lawinen nicht ihre Termine und ihre Namen? Die große Marianne zum Beispiel, die beste Lawine des Tals –, die kommt erst im späten Winter oder im frühen Frühling, zur Zeit der Schneeschmelze; aber auch im frühen Winter kommt manches herab, das einen Namen hat, und bleibt quer über der Straße liegen, ungefährlich wenn man es erwartet, es kündigt sich an, es geht diesen Dingen ein Wind voraus.

Ich werde also nach Tynset fahren, das ist beschlossen – beinah beschlossen. Es ist später November, ich sollte also bald fahren, bevor es Winter wird, und bevor ich den Mut verliere, irgendwohin zu fahren, das heißt, den Mut habe ich schon lange verloren. Tynset ist das einzig mögliche Ziel. Ich werde also die Städte umfahren, als da sind Prada, Chur und Stuttgart, Hannover und –
War es Hannover? Oder war es Dortmund, Düs-

seldorf? Vielleicht war es Braunschweig? So genau sind mir die Unterschiede nicht mehr gegenwärtig, vielleicht hieß es auch Friedrichsruh oder Groß-Gerau, jedenfalls war es eine Landeshauptstadt. Ich weiß nicht mehr von welchem Land. Ich wollte nicht in diese Stadt, wollte an ihr vorbei und weiter, nordwärts oder südwärts. Ich fuhr entlang einer Straße fünfter Ordnung, mit Aufbrüchen, Schlaglöchern, Platzwunden, Rißwunden, Bröckelwunden und Schorf und nicht zu befahrenden Randstreifen, aber dies sind nicht die Umstände, die mich aus der Ruhe bringen. Nicht daß ich diese Straße hatte fahren wollen, nein, ich fuhr gern Straßen dritter Ordnung, den graubraunen Mittelweg zwischen der rasenden Fluchtbahn von Punkt A ins Ungewisse und der Kriechspur, über die man auf eigene aber nicht mindere Gefahr hinwegschlingert, jeglichen Schadens gewärtig.

Auf einer solchen Straße also war ich dahingefahren, erwartungslos, Herr meiner selbst und meines Fahrzeugs – da, in der Nähe einer Wohnsiedlung, beseelt vom unbeugsamen Willen zur Häßlichkeit, kam mir ein Schild entgegen, das eine Umleitung bedeutete, es wies mich in eine Richtung im rechten Winkel zu der meinen. Ich gehorchte, und mit der Richtung wechselte die Ordnung, sank von

drei auf vier, ich fuhr über Kreuzungen und
rechts und links, immer dem gelben Pfeil nach,
hinter dem der hämische Triumph einer Obrigkeit
sich verbirgt, die gern, wenn auch verhalten, dem
Opfer ihre Macht anhand geringer Dinge vor Augen führt. Er wies mir die Umleitung, nicht aber
die Richtung, in die ich fahren wollte, nämlich
nach Hannover oder Braunschweig oder Friedrich-
stadt, geschweige denn nach dem gewünschten
Punkt jenseits dieser Stadt. Und bald zeigte mir
die untergehende Sonne, daß ich in der meiner
Richtung entgegengesetzten Richtung fuhr. Das
paßte mir ganz und gar nicht. Ich war damals
noch bereit, dem Ersuchen jeglicher anonymen
Behörde bis zu einem Punkt innerhalb sinnvol-
ler Grenzen zu folgen, nicht aber, wie andere, bis
zum extremen Grad des Gehorsams schlechthin.
Bei der nächsten Gelegenheit also entwischte ich
dem Schild, fuhr links, wo es nach rechts wies,
zweigte ab und schlüpfte aus dem Sog des gelei-
teten Stromes und fühlte mich gut und befreit,
aber nun eben war ich auf der Straße fünfter
Ordnung.
Zwar fuhr ich auch jetzt nicht in der gewünschten
Richtung, aber der Zielsicherheit dieses Pfades
entnahm ich, daß er mich in irgendeinem Winkel
auf eine Straße stoßen würde, die mir eine Wahl

zwischen zwei Richtungen lasse, und deren eine
würde die meine sein. In der Tat bot sich bald eine
solche Straße, rechtwinklig zu der meinen, ich bog
ein, auch hier herrschte die fünfte Ordnung, aber
dafür führte sie, wie ich einem Schild ablas, zu der
unumgänglichen Station meines Weges, Düsseldorf oder Dortmund – nenne ich den Ort stellvertretend Wilhelmstadt, denn welche Landeshauptstadt es auch war, dieser Name trifft auf jeden
Fall zu. Das Schild jedoch beunruhigte mich eher
als daß es mich befriedigte, denn ich durfte mich
nicht dem Irrtum hingeben, das Schicksal, dem
schließlich alle Befahrer dieser Regionen, auch die
aufsässigen unter ihnen, sich willig auszusetzen
schienen, auf solch mühelose Weise korrigiert zu
haben. Dazu kam, daß dies nichts als ein Feldweg
war, Rinnen im getrockneten Schlamm, dazwischen schierlingbewachsene Streifen, überall lau-
erte Natur auf den Moment der Rückeroberung.
Und doch: nach drei Kilometern erhob sich rechts
ein Schild, auf dem stand: »Landeshauptstadt
Wilhelmstadt«, nur war von einer Stadt nichts zu
sehen, im Gegenteil: wo zuvor beiderseits der
Fährte Ansätze von Stadt gewesen waren, unfehl-
bare Ankündigungen, nämlich Schuppen, abgeris-
sene Plakate, Zaun und Gitter, Draht, Müll,
verbeulte Kannen, verrostete Eimer, Fahrrad-

schläuche, dahinter Schrebergärten und dahinter norddeutsche Wollkämmerei, Veith-Gummiwerke, Boehrich und Schiesske, Offsetmaschinen, Föttle und Geiser Gasöfen, Dörpinghaus-Chemie – ja, alle Hintergründe meines Lebens kann ich beim Namen nennen, es sind die Vordergründe, die mir entschwinden – wo also all dies gewesen war, klaffte Acker, zwischen den Fahrrinnen wucherte unverfroren Unkraut. Die Landeshauptstadt hatte wohl, einem Drang nach Ausdehnung nachgebend, dieses Gebiet beschlagnahmt, damit ihr keine andere Stadt zuvorkomme.

Indessen wandelte sich die Straße, wurde haltbarer, schob sich um zwei Ordnungen hinauf, Asphalt kam entgegen, Tankstellen griffen ein, jetzt winkte Zukunft, ein Straßenschild sagte Ernst-August-Ring, zu dessen Planung das Gelände Anlaß bot, das nächste Straßenschild sagte Julius-Möller-Straße, die schon erkenntlich war, und da war auch schon die Hermann-Riedel-Straße, und damit begann die Stadt, denn jede deutsche Stadt hat eine Hermann-Riedel-Straße, und immer ist sie unverkennbar: Reihenhäuser beiderseits, erbaut von den Hassern der Baukunst, ohne Farbe, ohne Ansatz zu veredelndem Element, ohne Scham ihrer Häßlichkeit und ohne Hoffnung auf verändernde Mächte, es sei denn die gnädige Gewalt einer Katastrophe –, aber bis dahin stehen sie, unverblümt, Leibwäsche hängt auf eingelassenen Balkonen, Zweirädriges und Dreirädriges lehnt neben Hauseingängen, Vierrädriges schief halb auf dem Bürgersteig, die Ecken abgestumpft, zu Gaststätten und Drogerien, es kreuzen Querstraßen, Schumannstraße, Friedrich-Zelter-Straße, Marschnerstraße, an den Peripherien wird das Musische auf seiner Flucht angehalten und beim Namen genannt, – und mit der Muthesius-Straße beginnen andere Sachgebiete, sie erstrecken sich entlang der Otto-Herter-Straße bis zur August-Böttcher-Straße, und die fuhr ich entlang, und nun kam mir das erste Verkehrslicht entgegen, blind, aber jederzeit bereit, aufzuleuchten und jähen Verkehr zu regeln.

Nun war ich in Wilhelmstadt, nochmals kam ein Schild entgegen, das sagte »Wilhelmstadt«, die Landeshauptstadt hatte man fallen lassen, ich fuhr in den Verkehr ein, von ihm angesogen, er strömte von beiden Seiten, Gegenverkehr begann, ich wurde flankiert, wurde Hindernis, scheel besehen, seitlich bedroht, als ich einen Ring kreuzte, aber ich fuhr – Chlodwig-Straße – hier war Rückschlag, ein unwirtlicher Streifen führte zum Rangierbahnhof West-Lücke, die Gegend roh von städtischem Wasserwerk, backsteinernem Gaswerk, von Zubringern und Anliegern, selbst ein Schlachthof drohte, aber die Roheit wich zurück, bremste vor einem Grüngürtel, über den die Chlodwigstraße sprang, um jenseits sich zur Bismarckstraße zu adeln, die zur Kaiserstraße anwuchs, die sich in den Börsenplatz ergoß, der sich zum Theaterplatz aufschwang und ein Nationaltheater und ein Haus für Wohnkultur darbot. Ich fuhr, zwischen Taxen und Kreuzern, bedrängt von Verkehrsteilnehmern, alle verkehrssicher, alle zielsicher, alle wußten genau, wohin sie gehörten, und steuerten diesen Ort an, und dazwischen ich, der ich nicht wußte, wohin ich gehörte, auf der Suche nach Weitem, ich fuhr immer dorthin, wohin sie mich haben wollten, abgedrängt, gemaßregelt von Pfeilen auf dem Pflaster oder menschlichen Reglern, des eigenen Willens verlustig, zielvergessen, weiter über den Bonifatiusplatz, entlang die Breite Straße, vorbei an Warenhaus und Denkmalsschutz, Stephansplatz, Rudolfsplatz, geradeausblickend, um die Richtung nicht zu verlieren und um, bei gezwungenem Halt, dem Nachbarfahrer nicht ins Auge zu sehen. Gewiß, manchmal blickt er selbst ins Weite und wäre gern woanders, aber oft ist er ein Schläger oder ein Mörder – an Verkehrslichtern haben sich mir schon Einblicke in furchtbare Vergangenheiten geboten. Geradeaus also, und zwang mich Polizei in eine andere Richtung, so versuchte ich sofort, die meine zurückzuerobern, – aber ich schaffte es nicht, die Breite Straße verengte sich zur Bürgerstraße, wurde Einbahnstraße der entgegengesetzten Richtung, ich bog rechts ab, wollte zurück nach links, aber das Einbahnzeichen wollte mich rechts, es ging zurück mit mir und meiner Freiheit, in schmalere Gassen, den Kern, ich war in der Altstadt, im Gewinkel des Dammgraben, am Burghof, nein, am Niederen Ried, dann aufwärts Auf dem Lärchenberge, da waren die Befestigungswälle, über fünf Jahrhunderte gerettet, um mich und meinesgleichen zu fangen, ich war an der Oberen Schießschanze, zwängte mich in die Judengasse, wo ich hingehöre, sah mich schon am Ziegelhüttenweg steckenbleiben, dort wo er in die Kleine Düwelgasse mündet, aber wo ich schließlich steckenblieb und zurückstoßen mußte, hieß es Am Rothen Spletz, ich fuhr rückwärts in den Rumpligen Spieß ein, um links in den Sonnigen Spletz einzubiegen, er führte wieder hinab, hier hieß es Am Altentheil, hieß es Pognergasse, Kothnerstraße, es wurde besser, breiter, ein Verkehrslicht leuchtete mir, ich fuhr darauf zu, hinter ihm erstreckte sich beiderseits Friedrichstraße, ich konnte atmen, bog in die Hamburger Allee, Akazienduft, hier winkte das Weite, sanft überholte ich einen langsamen, vornehmen

Lieferwagen der Firma Wehrgenus und Flatow, Delikatessen, es war wie eine Botschaft – es wurde still, breit, Villen schlossen sich ab, streckten mir Vorgärten entgegen, es wurde einsamer, die Straße sank, da stand plötzlich ein Schild auf, das sagte »Landeshauptstadt Wilhelmstadt«, und schon war ich am Herzog-Adolph-Platz, Stephansplatz, in der Breiten Straße, am Theaterplatz, das Haus für Wohnkultur war nun an der anderen Seite, ich bog rechts ab, entging aber der Bismarckstraße nicht, auch nicht der Rückansicht des Nationaltheaters, hier hieß es Ifflandring, Schillerstraße, die wurde zur Schillstraße, zur Scharnhorst-, Gneisenaustraße, mir war es gleichgültig, ich fuhr und erschrak nicht, als ich das Haus für Wohnkultur nochmals wiedersah, ich erkannte es an den gleichen Gegenständen, verspürte kaum ein Gefühl der Erlösung, als ich feststellte, daß es zwar die gleichen Gegenstände waren, nicht aber das gleiche Geschäft, es war nicht die gleiche Straße, ein anderer Platz, ich war weitergekommen, aber da war wieder der Wagen der Firma Wehrgenus und Flatow, diesmal kam er mir entgegen. Ich fuhr, Husarenstraße, Sedanstraße, die war geradeaus gesperrt, bog links, war in der Marschnerstraße, befürchtete Nikolai, Brahms, aber die kamen nicht, dafür eine Zilcherstraße, die mündete in eine breite Pappelallee, die hieß Pappelallee. Ich fuhr Richtungsschildern entgegen, auf deren einem ein Ort stand, der, jenseits dieser Landeshauptstadt, auf meinem Weg lag, ein erlöschender Stern früherer Hoffnung, aber auf einem anderen, das in dieselbe Richtung wies, stand auch der Ort, aus dem ich kam. Ich fuhr, bis zu einem Umleitungspfeil, unter dem standen außer diesen beiden Namen noch viele andere, in allen zwölf Himmelsrichtungen. Der Wahl enthoben, folgte ich Pfeil und Schild, überquerte Westringe, Ostringe, es wurde wieder roh mit Unverputz, vorstädtisch, Gaststätten, Drogerie, Möbelgeschäft, die Stadt ließ nach, ich fuhr langsamer, es lockerte sich in mir, da erschien auf der rechten Seite ein Schild, auf dem stand »Landeshauptstadt Wilhelmstadt«.

Aber ich kehrte nicht um, denn wenn auch hier die Landeshauptstadt beginne, so läge sie doch auch in der Richtung, aus der ich kam. Ich fuhr zum dritten Mal in die Landeshauptstadt ein, zuerst erschien sie als eine andere, einen Grävenich-Platz hatte ich noch nicht überquert, aber bei der Hamburger Allee, die ich jetzt in der anderen Richtung fuhr, wurde es wieder die gleiche, und jetzt war ich bereit, alle meine Wege noch einmal nachzufahren, mein Leben hier in der Landeshauptstadt hinzubringen, es fahrend auszuhauchen, ich bog rechts ab, es wurde schmal und hieß Abtsgasse, aber das war mir recht, ich wartete auf den Börsenplatz, auf den Niederen Ried, auf Schlachthöfe, Wohnkultur, Mörder und Anlieger, in der Tat holperte eine Untere Schießschanze noch einmal vorbei, aber die Vorstadt, die nun begann, obwohl dieselbe wie zuvor, hatte andere Namen, die Gaststätten lagen nun an der Gustav-Freytag-Straße, Tankstellen an der Theodor-Körner-Straße, ich war bei den Dichtern, es wurde grau-weiß, als die Perlmoser Zementwerke vorbeirauschten, dann kam niedersächsischer Zellstoff, Diegenhardt und Pfählrich Staubsauger, Wohlbrück-Installationen, hier war ich zum ersten Mal, kam Gras und Staub, die Straße rutschte ab auf der Skala der Ordnungen, der Asphalt verlor an Schichten, zeugte Spalten, die zeugten Löcher, die zeugten Aufbrüche, die zeugten Sand, eine neue Umleitung bekam mich in ihre Fänge, zog mich rechts und links, aber sie führte mich hinaus, ich fuhr, alle Landeshauptstädte, Hannover, Braunschweig, Groß-Gerau, Düsseldorf, Dortmund, Altstetten, Wilhelmsruh, hinter mir lassend, hinaus, nördlich oder südlich, ohne Straßenbezeichnungen, ein totes Verkehrslicht, dann kein Verkehrslicht, Schreberlandschaft, Straße vierter Ordnung, ich bog in die fünfte Ordnung, ich weiß nicht mehr, wohin ich fuhr, weiß auch nicht mehr, woher ich kam, wo ich die Nacht schlief, ob ich schlief – –

Es muß Hannover gewesen sein, Wehrgenus und Flatow, Delikatessen, das ist Hannover, Bismarck-straße 45–47, gute Abnehmer meiner Mischungen zwei und drei.

Straßenzustandsbericht. Wie war die Nummer? Eins sechs sieben, glaube ich. –
ein gutes Pfund geriebenes Weißbrot von dem man die Rinde entfernt hat – Falsche Nummer. Koch-rezepte, nächtlich. Nachts, habe ich gehört, sind Gas und Strom billiger – *sodann sechzig bis siebzig Gramm Margarine oder anderes Speisefett* – Spei-sefett, das klingt nicht gut – *zwei gestrichene Eß-löffel voll Semmelmehl oder Kartoffelmehl und rührt die Masse* – Masse, Mehlmasse! – *über klei-nem Feuer läßt sie langsam erkalten forme sie zu faustgroßen Klößen* – Nein, das klingt nicht gut. – *läßt man fünf Minuten in siedendem Salzwasser ziehen schütte das Wasser ab man übergießt die Klöße mit saurem Rahm oder Yoghurt garniere sie mit frisch gehackter –*
Nein, das nicht, das wenigstens sollte anders sein: kupferne Kasserollen, eiserne Pfannen, darauf eine glasierte braune krustige Rundung, mit Nelken

gespickt, salbeibelegt, ein Schuß Gewürztraminer darüber, so daß es zischt – oder auch ein Chateaubriand mit den schwarzen Gitterspuren des stählernen Rostes, darauf liegt eine Kugel aus grün gesprenkelter Kräuterbutter wie der Ball auf den Gittern eines Schlägers – immerhin, das sind Dinge, die es noch gibt, es gibt Minuten, Viertelstunden, in denen das Aroma dieser Dinge Trost verbreitet, Fremdheit vergessen läßt, da wird das Leben zu einer Station auf der Fahrt im Zuge der Zeit, einem Stück handfestlicher Gegenwart zwischen hungernder Vergangenheit und satter Zukunft, da leckt die Zunge, bohren sich die Zähne in ein saftiges Stück Wirklichkeit, die Gedanken wiegen sich im Mund, vom Gaumen bis zur Lippe, aber schlucken lassen sie sich nicht, die Gedanken, schon steigen sie wieder hinauf, richten sich wieder ein in der Gehirnschale, ernüchtern, überblicken die Mahlzeit als Vergangenheit, von der dann nichts bleibt als ein totes Tier, ein herrenloses Geweih, ein leerer Platz im Stall.

Straßenzustand, Lawinenbulletin, handfeste, nachprüfbare Tatsachen, verläßlicher als Wettervorhersage, Unabänderliches, ein Zyklus: Straßen, Pässe, gestern, im ersten Schneefall, bei rechtem Anlauf noch passierbar, mit den rasselnden Schneeketten gleich einer Raupe, die sich langsam aber gleichmäßig vorwärtspreßt, hinter mir einer, der kommt noch durch, der Nächste auch, aber der Übernächste, der bleibt stecken, wie damals Mr. Wesley B. Prosniczer, die Räder fassen nicht mehr, sie rühren nur Schnee zu Eis. Gelbe Nebellichter – schönes Wort: Nebellichter – Tynset – sie betasten den Schnee, sie stechen ihn an, und so geht es bergan, über den Paß –

und nicht mehr hinab, weiter, ich stoße mich von der Straße ab, ich schwebe über den Schnee und entferne mich, immer der Milchstraße entgegen –

oder in die andere Richtung, hinab, nach Süden, durch das Tal, dort wo es eng wird, dort wo im vorigen Sommer – oder war es im Sommer davor? – der Fluß die halbe Straße hinweggespült hat, neben dem Geröll des Flußbettes, über den aufgeworfenen Schotter, geplatzte Wunden, und der harte Schorf über die Straße gestreut, hinab, das Tal der Hochwasser, und weiter, – weiter nach Süden, unter allem Wetter hindurch, an irgendeinen fernen Strand, wo kein Mensch ist, nur Wasser und Sand und eine ewige träge Woge, auf ihr treibt ein Schaumhaufen zitternd landeinwärts und fällt auf dem Sand wie ein Soufflée langsam zusammen und gebiert vielleicht eine Qualle oder eine Seenessel, die sich auflöst und nichts hinterläßt als einen Geruch, und daneben ein wenig faulendes Geflecht und eine halbe Zigarettenschachtel, gefüllt mit nassem Sand. Und ein wenig Wind.

Nein, nichts von alledem jetzt. Jetzt nicht. Ich werde auch müde. Es nähert sich auch zwölf Uhr, bald bin ich wieder um einen Tag gealtert. Dann werde ich schlafen –

– die Rotweinflasche füllt sich nicht von allein –, wollte sie täte es –,

– schlafen, wenn ich kann. Ich bin kein guter Schläfer, ich war es nie, und jetzt bin ich es noch weniger. Früher, ja, da habe ich den Schlaf nicht vermißt. Wenn ich bedenke, daß er mir oft so ungelegen kam wie mir jetzt das Wachen ungelegen kommt – und ich wache zuviel; es sind nicht die Geräusche, die mich wachhalten, es ist etwas anderes – was ist es?
Immer wieder den Schlaf überlisten, mich so zurechtlegen, zurechtschieben, daß ich ihm, wenn seine Schwaden mir entgegenziehen, diese eine Ecke von mir entgegenhalte, die ich für ihn vorbereitet habe. So daß ich etwas von ihm aufsauge, etwas, das sich dann gleichmäßig in mir ausbreitet.

Meist ist es nur eine dünne Schicht, es hält nicht lange vor, ich erwache bald wieder und muß dann eine neue Methode anwenden, neue Bissen, mit Kräutern gewürzt, um den Schlaf damit zu füttern – wenn er sich überhaupt dazu herabläßt, mir in dieser Nacht noch einmal entgegenzuziehen. Eine Methode läßt sich nur jede Nacht einmal anwenden, dann stellt sie sich zurück in die Kartothek, und ich muß nach einer anderen greifen, aber ich bekomme nicht immer eine neue zu fassen, es werden auch immer weniger, und viele – so scheint es mir – haben sich mir nur ein einziges Mal geboten und sind dann für immer entschwunden; und andere wieder bieten sich an, Erinnerungen zum Beispiel, die ziehen mir scheinheilig entgegen, ich nehme sie auf, und plötzlich enthüllen sie einen entsetzlichen Kern, angesichts dessen Grinsen der Schlaf entflieht, endgültig.

Dieser Kardinal – jetzt erinnere ich mich, daß ich ihn einmal gesehen habe, es war an einem Vormittag, ich fand mich zufällig in Rosenheim, und der Kardinal war auch dort, aber wahrscheinlich nicht zufällig, und ich wurde Zeuge einiger Augenblicke aus seinem vielfältigen Tageslauf. Ich sah ihn, langsam an der Spitze seines schwarzen Gefolges schreitend, gehüllt in eine weiche Wolke von

Unantastbarkeit, er wandelte – nein: seine Schritte waren unsichtbar, er täuschte Schweben vor – er wallte, Weihrauch spendend, durch ein Spalier von Menschen, er strich einem stehenden Kind über das Haar, er segnete einen Säugling auf dem Arm seiner Mutter, er segnete rechts und links, er hielt die Hand senkrecht, Daumen nach innen, vor seiner Brust, den Kopf hielt er in dieser geringen Schräge der Demut, als erwarte auch er in jedem Moment einen plötzlichen Segensstrahl vom Himmel, fühle aber, daß selbst er, letzten Endes ein Sündiger unter Sündigen, dieses Segens nicht würdig sei, und wolle ihn an dieser Kurve der Demut herabgleiten lassen, auf daß er in die Erde fahre und den Ort – Rosenheim – anstatt seiner segne. Er sprach auch hier und dort zu einer Mutter oder zu einem alten Mann, sprach im Ton unendlichen Mitleids, das seinem Partner so galt wie ihm selbst; beide, er und sein Partner, Weggefährten zwischen den Stationen des irdischen Übergangs, es besagte: bald werden du und ich dieses Dasein überwunden haben, dann geht es uns beiden gut in Gott, bis dahin wollen wir ausharren und tragen, was uns auferlegt ist. Dann wandte er den Blick geradeaus, stellte den Ausdruck schmerzlicher Verklärung ab, er blickte auf einen Verschwindungspunkt, wie auf dem Flugplatz, nur diesmal war der Punkt wirklich ein Fahrzeug, eine schwere schwarze Limousine mit einem Fahrer in schwarzer Soutane, er ging auf sie zu, bestieg sie, um Segen spendend davonzufahren, und ein Windstoß von Heiligkeit zog im Staub der Straße hinter ihm her, löste sich dann auf im Alltagsvormittag, plötzlich war wieder Mittwoch. Der Kardinal verschwand in seiner Luft. Er hatte, wenn ich mich recht erinnere, irgend etwas eingeweiht.

Zwölf Uhr. Die Stunde des Alterns vorbei, –
Augen geschlossen, Hinterkopf tief in das Kissen gesenkt, Hände, Handflächen unten, Daumen innen, über der Decke beiderseits neben den Körper gelegt, so fahre ich mit der Zeit, so liege ich im Raum,
liege in diesem Bett, in dem vor mir hundertzwanzigtausend Nächte keiner gelegen hat, das ich einer infantilen Standesperson abgekauft habe, einem albernen Nachkommen, der abschaffte, versteigerte und verkaufte, der den Speicherraum, auf dem es stand, für den Aufbau seiner elektrischen Spielzeugeisenbahn brauchte, die, wie er mir erzählte, aus über achtzigtausend Teilen bestand –, aber er werde es auf hunderttausend bringen, und wenn er lang genug lebe – seine Haare waren schon grau – sogar auf hundertzwanzigtausend. Achtzig-

tausend Spielzeugteile also, deren Besitzer einem uralten zerfallenden verkommenden neapolitanischen Fürstengeschlecht entstammte, dessen Vorfahren das Bett unter Stoßen und Splittern und Spalten vom Keller auf den Speicher geschafft hatten, weil im Keller kein Platz mehr dafür war, weil sie dort ihre Weine lagern mußten, weil die Spanier ihre Landgüter beschlagnahmt hatten, Landgüter, Weingüter, deren Besitzer Cousins von Königen waren, Brüder von Kardinälen, Neffen sogar von einem Heiligen, Fürsten, deren Vorfahren dieses Bett mit den erblindeten Goldornamenten und den zerbröckelten Schnitzprofilen und den zersplitterten Zierleisten aus dem Staatsschlafzimmer des Palastes in den Keller geschafft hatten, weil im Schlafzimmer kein Platz mehr dafür war, weil sie im Schlafzimmer weichere hellere gefälligere Betten aufstellen wollten, mit Baldachinen und lüsternen Amoretten und gedrechselten Pfosten und schlüpfrigen Symbolen und seidenen Vorhängen, weil sie ihre Ausschweifungen leichter und verfeinerter zu betreiben gedachten, galanter als ihr finsterer Vorfahr, weil ihnen für ihre erhellten Nächte und ihre verdunkelten Levers das Bett eines Doppelmordes und eines Mörders unangenehm war, dieses schwere Möbel aus Nußbaum mit dem hölzernen Himmel, auf dessen Innenseite, sichtbar nur für den darin

Liegenden, sein erster Besitzer, in seinem dreiund-
fünfzigsten Lebensjahr, seinem Todesjahr, einen
Totenschädel hatte aufmalen lassen, um bis zu seinem Tode des Mörders in sich eingedenk zu bleiben, um in seinen schlaflosen Nächten stets an sein
entsetzliches Verbrechen erinnert zu werden, das
in diesem Bett sich vollzog – diesem Bett des Todes und der Liebe, der Ausschweifung, der Untreue, des Betruges, des Ehebruchs, dem Mordbett
und Reuebett –

hier, in diesem Bett, in einer Nacht wie dieser,
einer Novembernacht, lag, hier, wo jetzt mein Kopf
liegt, genau hier, nach rechts geneigt, nein, nicht
geneigt, vielmehr nach rechts gefallen, geschlagen,
ein Kopf, der Kopf der Fürstin Gesualdo, die Maria hieß, verbunden mit dem Rumpf nur noch
durch die Wirbelsäule, die Kehle durchschnitten
mit einem Stilett, das immer noch irgendwo östlich
von Neapel unter der Erde liegt und rostet. Hier
wo mein Körper liegt, lag ihr Körper, hier, bedeckt
von einem Spitzennachthemd, getränkt mit ihrem
Blut und mit dem Blut dessen, der schräg über ihr
lag, den Kopf in schwerem leblosem Fall an ihren
Oberarm geprellt, hier, wo mein Oberarm liegt,
den Bauch an ihren Bauch gepreßt, den Rücken
gekrümmt und durchstoßen von einer Hellebarde.

Hier, wo meine Beine liegen, lagen seine Beine, die Beine des Herzogs von Andria, die Knie angewinkelt zwischen ihren gespreizten Oberschenkeln; lag also dieses Paar, das im Leben schön gewesen war – sorprendente bellezza – vielleicht so schön wie Paolo und Francesca – aus seiner letzten Umarmung gelöst, sein Geschlecht dem ihren glitschig enthakt, im Tode einander jäh entglitten, die Glieder wie in einem Tanz verrenkt und übereinandergefallen, wohin es traf, Knochen auf Knochen geschlagen, das Haar wüst und verklebt, vier Hände verschmiert, zwanzig Finger in einer letzten schrecklichen Verkrampfung erstarrt, vier Augen weit geöffnet, als stehe der allerletzte Schrecken noch bevor, zwei offene Münder, vier Lippen von Blut verkrustet, in einem verhallten entsetzlichen zweistimmigen ersterbenden Schrei, aufgelöst in einem Röcheln, erstarrt und erstickt in einem blutigen Gurgeln, und nun ohne Laut in der Dunkelheit,

und ohne Laut in der Dunkelheit neben diesem Bett, meinem Bett, die stummen Zeugen, unberührt, unbeteiligt auf dem Fußboden eine erloschene Kerze, darüber ein Stuhl, stumpf mit Samt bezogen, darauf ein eiserner Handschuh, abgelegt, um jederzeit wieder aufgenommen zu werden, über die Lehne geworfen ein Wams, jederzeit be-

reit, sich wieder anziehen zu lassen, und, ein wenig
weiter entfernt im Raum, ein Vorhang in unhör-
barer schwacher Bewegung, und eine offene Tür,
die führt in den Vorraum, der Vorraum ist leer, ein
Flackern darin ist versiegt, weit offen die Tür in
den nächsten Raum und weit offen alle Türen
durch die hallende Flucht der Räume, den Flügel
des Palastes, bis hinaus ins Freie, in Park und Hof
und Straßen,

und in den Räumen kein Geräusch, alles still, die
Schreie der flüchtenden Kammermädchen verweht, die Schritte der Mörder verhallt, die Hufe
unten im Hof verklungen, die Fackeln im Palast
erloschen, ausgeblasen auf Befehl in einem einzigen Atemstoß, alles steht und wartet auf den Morgen des Entsetzens –,

nur die Mörder, die warten nicht, sie sind schon
außerhalb der Stadt, in einem wilden Ritt auf
zwei dampfenden Schimmeln, Gesualdo, der seinen Palast weit offen hinter sich läßt und das Stilett mit dem Blut seiner Frau hinter sich wirft,
und mit ihm sein Gehilfe, der Pietro Bardotti hieß,
der Hellebardenträger und Stecher,

und nun sind sie schon weit entfernt, während der
Morgen heranzieht und ein Laken von kühlerer
und hellerer Luft mit sich zieht, ein Wehen, das
zwischen den klaffenden Türen die Vorhänge sacht

zum Flattern bringt und im Hof ein Klappern schafft, und ein durchlässiges feuchtes Grau, das in den Zimmerfluchten leise Schatten zu legen beginnt und Farbtöne entstehen läßt, nun sehe ich: der Samt des Stuhles ist dunkelrot wie das trocknende Blut an den beiden Toten, das Wams ist gelb, der Handschuh silberblank, ein Stilleben entsteht aus dem Schrecken, ein Stilleben aus unbeteiligten toten Körpern, aus trocknendem Blut, das nicht weiß, wem es gehört, aus Möbeln, die plötzlich zu Erbstücken geworden sind, ein Stilleben, noch unentdeckt, erkaltend, erstarrend hinter der Fassade und den dunklen Schatten der Fenster des Palastes in der Straße in Neapel, der Stadt der Stätte dieser Tat, verübt über diesem Bett, in dem ich hier liege – liege, und vielleicht bald schlafe.

Tynset. Da liegt es, eine Saat zwischen die Gedanken gestreut, in eine Ebene, flach zwischen Hügel und mageren Wald, und dann ein wenig ans Gelände angedrückt, so schlägt es Wurzel, geht auf, wuchert wie Unkraut, schlingt sich wie Schlinggewächse, erstickt die Gedanken außer den Gedanken an es selbst, es breitet sich aus, erobert Gelände, wächst in die Höhe, festigt sich, wird eigenmächtig, fordernd und beansprucht Stadtrecht, das ich verweigere: so weit bin ich noch nicht, noch lange nicht. Gestern vielleicht, vor meiner Stunde des Alterns, aber heute noch nicht ...

Da liegt es, zwischen Hamar und Stören, enger und schöner gesagt: zwischen Elverum und Röros, Station eines stampfenden, schlenkernden Personenzuges mit einem polternden Echo, von Südwesten nach Nordosten, und seines Zwillingbruders von Nordosten nach Südwesten, die einander aber nicht hier begegnen sondern an irgendeiner ebenen signalbesteckten Ausweichstelle auf halbem Weg, auf freiem Feld, wo, geradeausblickend, der schnellere auf den langsameren wartet, um sich sofort und ohne Gruß wieder von ihm zu trennen.

Da liegt es, ein Bahnhof, auf dem Stille herrscht außer bei Sturm, wenn der blecherne Schuppen ächzt, und dem leichten Crescendo fünf Minuten vor Ankunft des Zuges, der mäßigen Bewegung während seines Aufenthaltes und dem sofort verklingenden Decrescendo nach der Abfahrt –, sonst nur hin und wieder und vielleicht ein hallender Schlag und ein Fall von dort, wo auf einem Abstellgleis zwei Güterwagen stehen, oder ein beiläufig gewechseltes Wort, begleitet vom Klingen kleiner Münze am Buffet, einer lahmen Sache, Opfer skandinavischer Alkoholbeschränkung.

Was noch? Zwei Handvoll Häuser, alle oder zum

großen Teil aus Holz, in denen es jetzt still ist, die Bewohner abgeschützt gegen denselben kalten Mond, unter dem auch ich jetzt hier liege, wenn es eine Mondnacht ist. Wenn nicht, so ist es dort so dunkel wie hier, außer daß ein paar Straßenlaternen ein paar Richtlinien anleuchten, ein paar Fluchtlinien, deren Endpunkte weit hinten im Dunkel liegen und unsichtbar sind. Ganz dunkel kann Tynset nicht sein, selbst wenn ich davon absehe, daß ohnehin die Nacht das Nichtige bedeckt und den geheimen Wert der Dinge aufleuchten läßt, und diesen Wert hat immerhin Tynset –

wenn auch vielleicht nur für mich. Für andere ist es eben nur Tynset, und für die meisten noch nicht einmal das. Und keiner, der da zwischen den hölzernen Wänden schläft, nicht das Paar, das sich ekstatisch bewegt, um ein Kind zu zeugen, und nicht der alte Bauer, der schon die Kälte des Todes in seinen Beinen spürt, und nicht die beiden Söhne, die noch spät auf sind, um seine Äcker untereinander aufzuteilen, und nicht der fortschrittlich denkende Lehrer, der, besonders nachts, unter der Rückständigkeit seiner Heimat leidet und die Möglichkeiten einer Volkshochschule zu errechnen versucht, keiner von ihnen weiß von mir, keiner weiß, was mir Tynset ist. Kein Wunder. Ich weiß es ja schließlich selbst nicht. Ein Ankerplatz in einem Meer von Irrtum. –

Die Leute von Tynset stellen keine Fragen, die Tynset betreffen, weder die Schläfer noch die Liebenden noch der Sterbende noch seine Erben noch der Lehrer. Doch. Der vielleicht doch, dieser Lehrer. Versuche ich es mit ihm, irgendeine Verwandtschaft sollte ich herstellen mit einem Bewohner von Tynset, irgendeine. Nehme ich den Lehrer, meinen Freund, was soll er denken? Er denkt frei, dieser Lehrer, Angehöriger einer schlecht bezahlten, oft geschmähten Kaste. Er denkt:

Nein. Keiner erwartet eine Antwort. Alles ist bereits Antwort. Keiner fragt, denn keiner weiß, daß man überhaupt fragen kann. Alle sind sie nur mit den Antworten groß geworden, denkt der Lehrer, aber es sind keine Antworten auf Fragen, vielmehr sind es Scheinantworten, sie dienen dazu, der Frage zuvorzukommen, die Frage zu verhindern, sind dazu entworfen, den Willen zur Frage im Keim zu ersticken, die Frage so zu verdecken, als gäbe es sie nicht. Zuerst kam die Antwort, so denkt mein Freund, und dann erst die Frage, das steht schon in der Bibel, im elften Buch Mosis und im Lukas-Evangelium und im Friedrichs-Evangelium und in den Korintherbriefen, fünfter Band, und als die

Frage kam, kam sie, wie der Poet zur Verteilung der Güter dieser Erde, zu spät, für sie gab es keinen Platz mehr, so denkt der Lehrer. Grinsend saßen schon, gestärkt und geschniegelt, in Chorgewändern und Soutanen und Stolen, in Tiara und Mitra, mit Krummstab und Ring, mit steifen Bäffchen und schwarzen Wickelgamaschen, hinter randlosen Brillen und mildem Blick und verschleierten Augen, mit weicher Stimme und runder Gestik und verklärtem Gesang, die Männer Gottes auf den Kisten, in denen die Antworten lagen, wohlverpackt, um in die Welt hinausgeschickt zu werden. Grinsend deuteten sie auf die Kisten, zeigten auf die Adressen. Auf den Vermerk: »Vorsicht! Nicht stürzen!« hatten sie verzichtet, denn sie konnten sich auf ihre Spediteure verlassen.

Das denkt der Lehrer von Tynset, mein Freund. Oder nicht? Doch, das denkt er.

Tynset. Sinnlos, es jetzt mit dem Schlaf versuchen zu wollen. Ich werde aufstehen, jetzt werde ich mir eine neue Flasche Rotwein holen, das bedeutet, daß ich die Füße wieder in den eisigen Hauch über der Erde stecken, mich wieder auf den Weg machen muß, durch das Haus. Aber diesmal will ich weiter kommen als bis zur Bibliothek. Kein Hanswurst, kein Operettenführer, kein dröhnender Narr,

kein Scharlatan, kein Jung, kein Deuter oder Klä-
rer oder Jesuitenpater, kein Weiser oder Schlüssel-
bewahrer, kein Chronist oder Publizist soll mich
aufhalten, niemand und nichts soll mich daran
hindern, frei in meinem Haus umherzuwandern,
zwischen ererbten und erworbenen Dingen, ta-
stend und schwebend wie ein Nachtwandler, der
ich ja auch bin.

Ja, ich bin im wahren Sinne des Wortes ein Nachtwandler. Nur schlafe ich beim Wandeln nicht,
ich bin ein wacher Wandler, hellhörig, wie man
es nur im Dunkeln ist. So gehe ich denn durch das
Haus, klopfe auf die Scheiben der Barometer, hinter denen es aber ewig veränderlich bleibt, be-
sehe mir in Schränken und Fächern und Regalen
stumme Portraits oder beredte Reliquien, entdecke
im Staub eine Haarlocke – aber von wem? –, in
einem Gefäß den Schlüssel einer Uhr – aber von
welcher Uhr? Wann ist sie stehen geblieben? – ich
prüfe eine Landschaft an der Wand, und plötzlich
bannt sie mich, ich stehe und horche auf den Ton
der unsichtbaren Grillen, warte auf das Fallen ihrer Blätter, oder ich bleibe vor dem gerahmten
Schwarz des Jean Gaspard Muller stehen und rate,
oder ich folge der Blickrichtung einer jungen unbekannten Florentinerin, aber was sie sieht, ist
nicht mehr da, war vielleicht nie da,

betrete andere Räume, in denen ich kein Licht mache, ich will weiter raten, betaste Gegenstände und werde von anderen erschaudernd betastet wie der nächtliche Wanderer von Erlenzweigen am Weg, ziehe aus, das Gruseln zu erlernen, aber ich habe es schon gelernt und verlernt. Ich wandle, der Stachel einer Lanze kratzt meine Haut, ich gehe weiter, eine Hand faßt mich an, aber ich lasse mich nicht fassen, ich gehe vorbei, streiche über Oberflächen, rauh oder weich oder straff – –

Wo war es, daß ich eine Trommel sah, bezogen mit dunkler menschlicher Haut, in Sansibar verfertigt? –
und wo war es, daß ich Lampenschirme sah, aus heller menschlicher Haut, verfertigt in Deutschland von einem deutschen Bastler, der heute als Pensionär in Schleswig-Holstein lebt?

Ich gehe und gehe, durch andere Räume, nehme einen Tränenkrug vom Regal, aber ich weine nicht, nicht mehr, ich wende ihn um, damit er eine andere Zeichnung hervorkehre, ich streichle Köpfe, den Kopf eines ausgestopften Brachvogels, zwei verwechselbare Schrumpfköpfe aus dem Kongo, wo sie die Zwillinge töten, manches sehe ich nicht, obgleich es mich anblickt, vieles sehe ich zum ersten

Mal, ich entdecke immer noch Unbekanntes, und Unbekanntes entdeckt mich.

Schließlich bin ich in diesem Haus nicht geboren, aber ich breite mich in ihm aus, ergreife Besitz von ihm, und es ergreift Besitz von mir, und wenn ich hier sterbe, dann werde ich hier geboren sein, der Tod wird, wenn er gnädig ist, die Erinnerung an anderes tilgen – aber ich denke, daß er nicht gnädig sein wird, er ist es selten, hat es nicht nötig.

Es sind elf Jahre her, seit ich hier eingezogen bin. Allerdings hatte ich schon einige Jahre vorher die Absicht, hier einzuziehen. Genauer gedacht: ich hatte die Absicht, seit ich das Haus geerbt habe. Aber seit ich nun hier bin, bin ich nur noch hier, immer ausschließlicher, der Kreis, in dem ich mich bewege, wird immer kleiner, und meine Bewegungen innerhalb des Kreises werden immer sparsamer, kaum berühre ich noch seine schrumpfenden Grenzen.

Das Haus ist das gleiche geblieben, ich habe wenig hinzugefügt, habe wenig verändert, ich habe das Haus übernommen, einschließlich Celestina, aber sie hat sich verändert, verändert sich immer noch, unter meinen Augen, sie verzehrt sich und verkommt, sie trinkt und ertrinkt.

Alles übernommen – außer den wenigen Gegenständen, die ich mir ihrer Geheimnisse wegen selbst angeschafft habe – alles geerbt von einem Onkel, oder vielmehr von einem Nennonkel, so nennt man es, glaube ich. Er war ein Onkel zweiten Grades oder dritten Grades, Cousin meiner Mutter oder deren Mutter, unabhängig, unverheiratet, ohne Bindungen des Gefühls oder der Pflicht, allein, in geplanter und nach Plan vollzogener Einsamkeit, ohne Beruf und, soweit ich mich erinnere, ohne Neigung, einen Beruf auszuüben. Er war ganz damit beschäftigt, die äußerlichen Offenbarungen der Welt und ihres Laufes und des Lebens in ihr zu registrieren, zu messen, was es zu messen gibt, aufzuzeichnen, was es aufzuzeichnen gibt, und das nicht Meßbare und das nicht Aufzeichenbare zur Kenntnis zu nehmen, ohne jemals irgendwelche Schlüsse daraus zu ziehen, aus dem Meßbaren nicht, und nicht aus dem Unmeßbaren, und noch nicht einmal aus der Tatsache, daß das Meßbare meßbar und das Unmeßbare unmeßbar ist. Das Haus war und ist von oben bis unten voll von Uhren, Kalendern, Barometern, von denen das eine das andere überwachte, von Hydrometern und Hygrometern und Thermometern, ein Meßinstrument in jedem Zimmer, in Treppenhaus, Keller, Schuppen und Speicher, überall Ablesbares, Kon-

trolle des Spürbaren oder Prognose des zu Verspü-
renden, überall Pfeile, Zeiger, Quecksilber, Skalen
von Millibar, Celsius, Fahrenheit, Réaumur –, es
lag meinem Onkel daran, zu jeder Zeit Zweifel
über Luftdruck, Luftfeuchtigkeit, Datum, Wochentag, Stunde, Temperatur, Wetter im Herrschen und
Wetter im Anzug auszuschalten, aus all diesen
Richtungen wünschte er absolute Klarheit, und
zwar Klarheit in verschiedenen Lesarten, als Vorbedingung zu einem geordneten Tageslauf. Er
huschte, später lief, dann ging, schließlich hinkte,
humpelte und zuletzt schleppte er sich dreimal am
Tag, morgens, mittags und abends, auf die Minute
um dieselbe Zeit, durch alle Räume und Gänge
seines Hauses mit einer großen Liste und trug alles Eintragbare ein, in senkrechte Spalten, sam-
melte die Listen, ordnete sie in Jahrgangsmappen,
ließ sie zu Bänden binden, sie stapelten sich unten,
bis er sie auf den Speicher trug, aber er schrieb
weiter, maß und trug ein, bis er sich nicht mehr
fortbewegen konnte, nein, auch dann noch trug er
ein, bettlägrig, mit dem Tod im Körper führte er
die Listen weiter, der Tod kniete schon auf ihm, er
ließ sich die Befunde von Celestina geben, sie dik-
tierte die Daten aus provisorischen Listen, er trug
sie in die seinen ein, zuletzt kritzelte er nur noch
unentzifferbare Chiffren, und dann starb er

in einer Nacht, als in seinem Schlafzimmer – jetzt ist es mein Schlafzimmer – neunzehn Grad Celsius gemessen wurden, in der Bibliothek sechzehn und oben auf dem Speicher bei seinem Fernrohr waren es nur acht. Die Morgentemperatur erlebte er nicht mehr, sie lag an seinem Totenbett bei vierzehn Grad Celsius, der Luftdruck auf siebenhundertsechzig Millibar – so las man es in Celestinas Handschrift. Ihre ehrfurchtsvollen Ausübungen überdauerten den Gegenstand dieser Ehrfurcht, obgleich er in ihren Augen ein Ketzer war, ein Mann der finstersten Hölle, der, katholisch getauft, die Sterbesakramente verschmäht hatte, mit letzter Kraft den Priester anschrie: Rühr mich nicht an! Trotz alledem machte ihre Anhänglichkeit erst vor seinem Grabe halt, sie führte die Listen weiter, bis sich die Erde über ihm geschlossen hatte, um, nach barmherziger Weise, das Leben ihres Herrn mit einem sanften Verklingen und nicht mit einem Schlag zu beenden. Ich sage: ihres Herrn, aber ich meine natürlich: ihrer Herrschaft. Denn ihr Herr ist anders geartet, er geht nicht durch das Haus sondern ist in ihm allgegenwärtig, in jedem Winkel. Er liest nicht auf Barometern, sondern er schafft das Ablesbare, das heißt, wenn man so will, und sie will es so, trotz allem.

Ich habe diesen Onkel noch gekannt, nicht nur humpelnd oder hinkend, sondern huschend, ich kannte ihn, als er noch flink war, habe ihn flitzen gesehen, von Raum zu Raum, durch die Türen, durch Ritzen, Löcher, hinter den Vorhängen, den Tapeten, ein Schatten, lautlos, ohne Schwere, einen Finger am Mund, eine Hand Abwehr gebietend von sich gestreckt, um jeden Laut, jede Bewegung oder Äußerung zurückzuhalten, jedes Wort in die Kehle seines potentiellen Sprechers zurückzudrängen – so bewegte er sich vorwärts und seitwärts, hüpfend, lauernd, horchend, spähend, in der Tasche ein Vergrößerungsglas, ein Stativ unter dem einen Arm, unter dem anderen einen Bunsenbrenner, Stoppuhr und Kompaß an der Uhrkette, immer einer ungeklärten Sache auf der Spur, immer in ein unerforschtes Gebiet vorstoßend, schnell, bevor es zurückweiche und sich ihm entziehe. Und es entzog sich ihm immer, das war eingeplant. Vergeblichkeit war die Apotheose, zu der all sein Bemühen sich schließlich steigerte, der einzige Punkt seines Programms, der sich niemals änderte, denn er wußte, daß es ihm nicht gegeben war, die Grenzen des Erforschbaren auswärts zu stoßen, und er wollte es auch nicht, er war zufrieden damit, sich nur vorwärtszutasten, um irgendwo auf der Strecke zu bleiben, dieses Irgendwo war sein

Standort, sein Rastplatz, hier hatte er gute Aussicht, von hier betrachtete er vergnügt, in Demut und Ergebenheit, diese Strecke, sah vor sich die Erlauchtheit des Unerforschten, sah hinter sich das Erforschte schon wieder zum Rätsel werden, er freute sich an der Erlauchtheit wie an dem Rätsel, war zufrieden, daß es so viel auf der Welt gäbe, das meßbar ist, und daß es so verläßliche Instrumente gäbe, das Meßbare zu messen, und daß kein Zwang herrsche, es zu verwerten; er lief wie ein Kind in Erwartung einer großen Sicht, herrschte souverän und gerecht über seine Instrumente, denen er nicht das Unmögliche abverlangte, saß in erhabenem Verzicht auf jegliche Auswertung, ein schneller Läufer, ein guter Herrscher, ein geduldiger Sitzer, ein großer Verzichter, ein zufriedener Bewunderer aller Dinge, meßbar oder nicht.

Die meisten seiner Spuren führen in den hinteren Schuppen, den Teil des Hauses, wo der Stein sich verliert, das Holz herrscht, zu dem großen staubigen Raum der Galerien, der Treppen und Leitern und Luken, des Gerümpels und der gestrandeten Dinge, dort verlaufen sie sich, und
auch ich habe mich anfangs dort verlaufen, dort wo mein Haus zwar einstöckig aber nicht niedriger wird. Aber jetzt kenne ich mich aus.

Die Spuren führen auch mich, wenn ich nachts
durch das Haus gehe, dorthin. Es ist ein weiter,
eckiger Weg, von hier habe ich sechs Türen zu öffnen, bis ich nordwestlich von hier durch die letzte,
die hintere Tür des Hausflurs trete, mich dem schrä-
gen Blick des ermordeten Königs von Dänemark
entziehe und in dieser riesigen Halle aus Holz bin,
einem Reich, das den Atem anhält, um mich zu
umfangen, ein trockener, schwüler Raum ohne
Bewegung, so still, daß auch das scheueste Tier
nicht in ihm allein bleiben möchte, kirchenhoch
aber nicht kirchengleich, eher gleich einer Kara-
wanserei: drei hölzerne Galerien ziehen sich, über-
einander, rings um den Raum, dunkle Zäsuren
von überdachten Gängen, verstrebt durch Stiegen,
Stützbalken und Geländer, und in der Mitte ist
Turminneres, das Dach ist weit entfernt wie ein
Verschwindungspunkt, und alles hier ist voller
ausrangierter Gegenstände, die leichten schwemmt
es nach oben, die schweren bleiben unten, ein
Harmonium, ehemaliger Besitz einer frommen
Sklavenhändlersgattin, gebaut von der Firma
Greetgebouw, Jericho, New Jersey; das Bett, in
dem mein Onkel starb, ein zusammengelegter
Kinderstall, das einzige Gerät einer in diesem
Haus verbrachten Kindheit – aber wessen Kind-
heit? –, eine eisenbeschlagene Truhe voller Gra-

vüren und Alben, und überall knarrt der Boden
unter den Füßen, Stiegen, Gänge, Galerien, Geländer, Dachboden knarren, Geleimtes treibt auseinander, löst Keile, lockert Nägel, lockert alles,
und doch stürzt nichts ein, alles verharrt im Zustand der Lockerung, wartet, vielleicht auf meinen
Tod, um bei diesem Signal zu zerfallen und mein
Andenken unter seinen Trümmern zu begraben;
hier wäre es jedenfalls gut aufgehoben.

Hier denn nachtwandle ich und steige hinauf zum
Fernrohr, vorbei an Mahnmalen niemals ausge-
führter Reparaturen, an zerbrochenem Glas, zer-
bröckeltem Kitt, Holzleisten, zu entschwundenen
Zwecken gebündelt, Flaschenhüllen, Flaschen
längst vergriffener Jahrgänge daneben, frühe Spät-
lesen, fleckige Vogelbauer, Säcke mit Vogelfut-
ter, Nahrung der Mäuse bis in die Ewigkeit, Fallen und, ihrer spottend, stets frischer Mäusedreck,
Haufen verrosteter Nägel, gerade gehämmert von
einem zähen Sparer, nach Größen geordnet, eine
zufällige, zusätzliche Sicht auf Eigenschaften meines Onkels, bestätigt durch Bündel gebrauchter
Schnüre und Draht, die langen Temperaturlisten,
Papier gegilbt, Tinte geblichen, Wetterlisten zwei-
geteilt, links die Prognose, rechts die Beobachtung
des Eingetroffenen, Hinweise also meines Onkels

auf die Unvollkommenheit professioneller Meteo-
rologie und auf die Grenzen wissenschaftlicher
Methodik, ohne Schadenfreude, nur freundlich zu-
rechtweisend; Briefbündel, Zeugnisse von Schicksalen, die sich irgendwo tief im Blattwerk eines
erloschenen oder des in mir erlöschenden Stamm-
baums verlaufen, Karten, Briefmarken, das Material wird kleiner, je näher ich dem Dachboden
komme, dünner, leichter, Wind der Zeit hat es an-
geweht und zuletzt in einem großen Wirbel hier
heraufgetragen –

nur ganz oben, auf der letzten Stufe, liegt im Staub
ein solides Ding, ein schwerer schwarzer massiger
kleiner flexibler Block, ein Gesangbuch, von mir
abgelegt und niemals entfernt, letzte Erinnerung
an mein Abschiedsfest.

Abschiedsfest, als das erscheint mir dieses seltsame
Fest, das letzte, das ich gab. Es war nicht als ein
solches geplant, eher noch als späte Geläufigkeits-
übung –, nein, das auch nicht: eher eine Probe,
ein Versuch der Wiederaufnahme nach einer Pe-
riode der Entwöhnung; kein Entschluß, das Wie-
deraufgenommene beizubehalten, auch nicht, es
endgültig abzuschaffen. Als Abschiedsfest stellte
es sich erst heraus, als alles vorbei war, die Win-
ternacht ohne Scheinwerfer, die Luft von Lärm

gereinigt, die Räume leer von Gästen, voll von Spuren und Abdrücken ihres entfesselten Wirkens, als ich die Fenster öffnete und den Dunst von Trunkenheit entließ. Ich habe keinen der Gäste wiedergesehen, keinen außer dem Bekehrer, den ich im Frühjahr darauf wiedersah, auf halbem Weg zum Paß, erfroren und entstellt, in seinem toten Gefährt, im Schnee.

Es war ein strenger Winter, und kaum waren die Einladungen verschickt, wurde er unerbittlich, drohte, die Wege zu mir zu sperren, der Paß war unbefahrbar, die andere Zufahrtsstraße, ein geschwungener Umweg, verschneit, zeitweise unkenntlich durch Verwehung, eine weitmaschige Allee von Schneestecken im Nebel, Rastplätze der Krähen in vergeblicher Ausschau. Dennoch waren die Gäste erschienen, vielleicht hatten die Hindernisse des Weges den Wert des Ziels erhöht, vielleicht bedeutete es auch einen Reiz, einander auf ungewohntem Gebiet zu begegnen. Einige von ihnen hatten Ungeladene mitgebracht, und von diesen hatten ein paar wieder andere mitgebracht. Aber darauf kam es mir nicht an, die Auswahl war ohnehin willkürlich, möglicherweise irrtümlich.

Schon damals begannen Namen mir zu entschwin-

den, begannen die Namen ihre Träger von fern-
her zu rufen, es entschwanden mir die Träger, die
Züge verwischten, vermischten sich mit Zügen anderer, ich hielt drei Personen für eine und eine
für zwei. Heute sind mir Gesichter und Gestalten
und Namen entschwunden. Jetzt denke ich: vielleicht gab ich das Fest als Versuch, einem Unwillen
entgegenzuwirken, Unwillen über meine man-
gelnde Beherrschung des großen Kartenspiels, das
die anderen beherrschen:

da sitzen sie um den runden Tisch, in gelassener
Betrachtung ihres Blattes, passen, spielen einander Trümpfe zu, siegen und lassen sich besiegen,
und da komme ich und frage: »Wer hat die Karten
gemischt?« – und sie sehen einander an, schweigend, unvorbereitet auf solche Einfalt, und einer
sagt: »Die Karten, mein Lieber, kommen bereits
gemischt auf den Tisch«, und alle lächeln, und ich
gehe, ich spiele nicht mit, kann dieses Spiel nicht
spielen, ich bin hier nicht heimisch.

Nach Mitternacht äußerte eine junge Dame – ich
erinnere mich, daß ihr Beruf mit Dingen des Ge-
schmackes zu tun hatte, daß sie, ihm entsprechend,
ansehnlich war – da äußerte also die junge Dame
den Wunsch, durch mein Fernrohr zu sehen. Ob

es wirklich ihr Wunsch war, weiß ich nicht, jedenfalls nahm ich sie beim Wort, aus Gründen der
Weitsicht und der Vernunft. Über den Wunsch, ein
Abenteuer, wenn es sich biete, anzuhalten oder
gar es auf der Flucht am Schwanze zu packen, war
ich hinaus, ich sah den Schädel hinter dem Fleisch,
das Verlangen nach Ungeschehen hinter dem Geschehen wurde damals in mir sehnlich, die Hoffnung, es zu befriedigen, begann zu entschwinden.
Nun schien mir auch der Wunsch nach einem Blick
in die Sterne nicht unnatürlich, wenn mich seine
Äußerung auch nicht etwa dazu verleitete, ihn bei
anderen als natürlich vorauszusetzen. Ich ließ
mich von der jungen Dame an der Hand nehmen,
ließ mich durch die Räume ziehen, bedacht darauf, nicht selbst der Ziehende zu sein und – hier
lag eine Schwäche, die ich inzwischen abgestreift
haben dürfte – auch nicht als der Ziehende zu erscheinen. Aus der Bibliothek in die Galerie, vorbei
an Paaren und Gruppen von Gästen, in den Flur,
wo Hamlets Vater nicht stand, er war von Gästen
verscheucht, hatte sich grollend zurückgezogen,
hinauf die Stufen zum Zwischengang, Tür, Vorraum, Schuppentür, sie knarrte – die junge Dame
wußte, wo das Fernrohr stand, alle Gäste wußten
es, bevor sie das Haus betraten, denn schon bei
ihrer Ankunft suchten sie das Dach nach der Öff-

nung ab, ich höre noch die Ausrufe des Erstaunens, wenn ihr Auge darauf stieß; als sei dieser winzige Stich aus dem Dach nach oben eine Sonderlichkeit oder ein Wagnis.

Wir betraten die hölzerne Halle, ich drehte das Licht an, eine einzige Birne für dieses verschachtelte Innere, ohne Schirm oder Deckung, unverhüllt, an einem hölzernen Tragbalken angebracht, das Kabel gegen jede Vorsicht verstoßend, sie beleuchtete nur das Rechteck des Schachtes und machte das Dunkel der Galerien noch dunkler. Laufstege für ein Mörderspiel, Stille schlug uns entgegen, ein requisitenreicher Bühnenraum, in dem die Vorstellung sich verflüchtigt hat –

aber hinter uns gingen schon die Türen, wir wurden verfolgt, und während wir die ersten Stufen hinaufstiegen, kamen andere Gäste, in der Hoffnung unerwarteter Sichten, auf ein erweitertes Fest, vielleicht Belsazars Halle, Belebung durch Feuerschrift an der Wand, vielleicht auch nur zu lüsterner Beobachtung. Wir führten eine Polonaise an, einen Exodus, Paare, Gruppen trichterten sich durch die Tür und schwärmten in den Schacht, blickten zuerst nach oben, um staunend die Höhe des inneren Hofes zu messen, rufend oder johlend oder singend seine hölzerne Akustik zu prüfen, dann erst spreizte sich der Gästekörper fächerförmig auseinander, verteilte sich in Vertikale und Horizontale, richtete sich ein in den Nischen und Galerien, angeregt, wie für eine fröhliche Überfahrt zu einer Vergnügungsinsel, aber niemand schien Neues entdecken zu wollen, man setzte die Unterhaltung der Nacht unter veränderten Umständen fort, dieser Veränderung willig angepaßt, hieß den Ortswechsel willkommen, verjüngte sich bei erheblicher Verschlechterung der Sitz- oder Liegeverhältnisse, noch war alles halblaut, die Stimmen tasteten Wände und Grenzen ab –,

und kamen nicht zurück, hier war kein Echo, der Raum hatte sich geschlossen und plötzlich, unerwartet, mußten sie sich mit unbekannten Faktoren befreunden, eine Unheimlichkeit griff um sich, griff nach den Gästen, einer sprach ein wenig lauter, der andere lachte ein wenig trockener, sie entdeckten die Unannehmlichkeit, Spinnweb und Splitter, die Überfahrt sank hinab auf Zwischendeck, man fragte nach dem Ziel;

da saßen sie, unfroh, im Dunkel oder angeleuchtet von der einzigen trüben Lichtquelle, in schalldämpfendem Staub, vor staubigen Bretterwänden, staubigen Behängen, fadenscheinigen, schalltötenden Hindernissen der Verständigung –

saßen und sahen einander an, reichten einander
Gläser, ein Reigen um ein hohles Zentrum, über
dem ich stand, mit meiner Begleiterin, Herrscher-
paar über eine Unterwelt, Hades mit einer Per-
sephone, die ihn sternenwärts zieht, aber ich stand
und blickte hinab auf mein Reich, auf eine wogen-
de, murmelnde Bevölkerung einer soeben noch
stummen Halle, die sich nicht wehrte, eine flüssige
Bewegung in ihren Eingeweiden –
in der Tat schien mir diese Halle tot, leblos trotz
des Lebens in ihr, ein ausgehöhlter Körper, bekrochen und angefressen von Parasiten, Schmarot-
zern ihres Skeletts – der Raum begann zu leben,
aber die Besatzung war tot, war Gespenst, ein Ge-
woge von Lemuren, und Bedrängnis stieg zu mir
auf, begann mir den Atem zu nehmen, ich war
Hades, der sein Reich leer wünscht, ich hatte Angst
um den Raum, Angst, daß er sich niemals leeren
würde, daß dieses Fest sich nun für immer wei-
terbewege –

– jetzt verspüre ich Lust, den Raum zu betreten,
von seiner Lautlosigkeit zu kosten, mich von der
Leere zu überzeugen, wie ein Nachtwächter die
Winkel auszuleuchten, jetzt gehe ich –
und nehme die leere Flasche mit, ein Schluck Rotwein täte wohl, ich habe das Verlangen danach

lang genug vor mir hergeschoben, jetzt ruft es laut
nach Befriedigung.

Tynset – klingt das nicht wie Hamlet? Ja, es klingt
wie Hamlet, seltsam, daß mir dies jetzt erst einfällt. Wie Hamlet, ja, das ist es, ›da liegt's‹ – ›ay,
there's the rub!‹ – There it is, indeed, – ay – ay –

Ich stehe auf, schlüpfe in meine Hausschuhe, zum
wievielten Mal? Ich schlüpfe diesmal auch in meinen verschlissenen Morgenrock, denn es ist kalt,
nehme eine Taschenlampe mit, nehme die leere
Flasche, ich mache mich wieder auf den nächtlichen Weg, ich betrete die Bibliothek – ich mache
kein Licht, hier werde ich mich jetzt nicht aufhalten,
– durch die Bibliothek und hinaus in den steinernen Flur, da steht er, steif und stumm, Hamlets
Vater. Nichts anderes habe ich erwartet. Da steht
er und wartet auf mich, obgleich er in die andere Richtung sieht, steht und wartet auf meinen
kleinen Finger, um die ganze Hand zu nehmen.
Aber ich gehe unter seinem Blick hindurch, ich
beachte die Erscheinung nicht, sie hat mit mir
nichts zu tun, sie ist nicht mein Vater, nein,
mein Vater war anders –

mein Vater war ein besserer Mann als dieser da, sein Geist steht nicht an einem Treppenabsatz, er hat vielmehr diese Erde endgültig und ohne Bedauern verlassen, er hält nicht, wie dieser hier, nach Möglichkeiten einer Rache Ausschau, obgleich sein Ende nicht so sanft war wie das Ende dieses Mannes hier, nein, kein Gift bei einem Nachmittagsnickerchen ins Ohr geträufelt, er ist nicht sanft ins Jenseits hinübergeschlummert, sondern erschlagen von christlichen Familienvätern aus Wien oder aus dem Weserland.

Aber dieser steht hier, steht beleidigt. Mich ärgert, daß auch er Hamlet heißt. In großer Hoffnung hat er seinen Sohn nach sich benannt. Die Hoffnung allerdings hat ihn getrogen –, das geschieht ihm recht –, doppelt getrogen sogar: der Sohn wurde nicht wie er, aber der Sohn wurde Hamlet, und er blieb und bleibt für immer niemand als Hamlets Vater.

Da steht er. Ein Mann für Männer, nicht einer für Frauen. Seine Rechtschaffenheit ist hart und gerade und unerotisch. Er ist einer, der gut zu Pferd sitzt, aber nicht einer – das sei der Gerechtigkeit halber gesagt – nicht einer, der sich mit einer eleganten Kniebeuge elastisch aus dem Sattel schwingt und mit der Reitgerte gegen seine

Schaftstiefel schlägt, nein, das nicht, das sind wieder andere, obgleich: er trägt Schaftstiefel, trägt sogar Sporen, trägt handfeste gut gearbeitete Dinge, – darin ist er wie ich – er ist immer barhäuptig, aber nur um zu zeigen, daß er auf alle Gefahren von oben gläubig gefaßt ist, er ist nämlich gläubig, er sagt: Ja, ich bin gläubig, und sieht sich um, die Wirkung dieses Geständnisses prüfend. Gefahren auf der eigenen Ebene erkennt er nicht an, allem begegnet er mit offenem Auge und geradem Blick, ja, es läßt sich nicht anders sagen: mit geradem Blick; umgeben von Freunden belacht er die Gefahren, er hat viele Freunde. Feindliche Nachbarn fürchtet er nicht. »Sollen sie nur kommen«, sagt er oder ruft er, nein: er pflegt es zu sagen, wie er vieles zu sagen pflegt.

Seide trägt er nicht, zum Teil weil sein Vater keine Seide trug, er trägt gern Leder und liebt Metallbeschläge an seinem Wams, die er gern selbst putzt, denn er behauptet, niemand könne sie so putzen wie er, diese Kunst, Metall zu putzen, sei abhanden gekommen. In seiner Jugend war vieles anders und meist besser. Er ist bärtig, windfest, wetterbeständig, liebt die Jagd, ist aber nicht »der Jäger«, er singt gern, ist aber nicht »der Sänger«, meist singt er Balladen, er hat seine drei, vier Lieblingsballaden, die schon Lieblingsballaden

seines Vaters waren. Er ist beliebt, Gäste seiner
Tafel vergessen ihn lange nicht, aber nach ein
paar Jahren vergessen sie ihn doch, oder vielmehr:
sie verwechseln ihn mit einem ähnlichen Herrscher, aber das spricht ja weniger gegen ihn als
für andere Herrscher. – Dennoch: ein Mann,
nehmt alles nur in allem – immerhin –

immerhin sollte man nicht vergessen, daß er an
seinem Narren Yorick großen Gefallen findet,
wenn er ihm auch nicht bis zum letzten Gedanken,
dem Griff nach der erschöpfenden Metapher folgen kann. Er ist kein Mann der Metapher, aber er
verachtet sie auch nicht, er weiß, daß es sie gibt,
und läßt auch jene gelten, die sich ihrer gern bedienen, und jene, die sie genießen.

Ein Trinker ist er nicht, er ist maßvoll, aber er
genießt den Rotwein – er sagt »meinen Wein«
– in gemessenen Zügen. Und maßvoll auch das,
was er zwischen den Zügen aus seinem Pokal über
die Dinge seiner königlichen Tage spricht. Er
durchquert nichts, schreitet ordnend die Grenzen
ab, sein Thema redlich umreißend, aber ohne
Würze, ohne auch nur die winzigste Wurzel eines
Ursprungs zu beleuchten. Gewiß, die winzigen
Wurzeln sind nicht leicht zu beleuchten. Was er
sagt, wird von seiner Umgebung willig verstan-
den, aber mir – was sage ich? mir? – ich meine:

seinem Sohn, Hamlet, bleibt das Gesagte fern, oft ist ihm, als habe das Thema vor seinem Anschnitt noch Möglichkeiten gehabt, die im Zuge der Behandlung allmählich systematisch vertan worden und nun für immer erloschen seien. Allerdings sind für Hamlet die Themen seines Vaters fern, sehr fern. Die Augen sind durchdringend, das sagte ich oder ähnliches, aber sie durchdringen nur die Schale der Dinge, die aber ganz, bis sie birst. Der Kern bleibt unberührt und unerkannt, der König weiß nicht, daß die Dinge einen Kern haben, da er die Schale dafür hält.

Er ist einer jener Männer, die nur vier Stunden Schlaf brauchen, aber er ist nicht einer jener Männer, die ihr Gegenüber mit Gesprächen über diese Eigenschaft ermüden, er weiß immerhin, daß sie jenen als unerquicklich erscheinen muß, die sie nicht besitzen. Dennoch, niemals erlaubt er sich den Luxus, über diese vier Stunden hinwegzuschlafen, er lehnt ab, was er nicht braucht. Schon dies trennt ihn um eine Welt – trennt ihn um die Welt – von seinem Sohn, denn der ist, wie ich, angelegt als ein Schläfer aus Leidenschaft, ist aber, wie ich, nicht als ein Schläfer gebaut, er schiebt, wie ich, den Schlaf lang vor sich her, bis es ihm gelingt, in ihm kurze, allzubald aufgespürte, Verstecke zu finden.

Aber der Sohn ist tot, und unerlöst steht sein Vater oberhalb der Treppe, an dem Punkt im Haus, wo die Nacht sich sammelt, wo sie ein Echo wirft, wo Mond hintrifft, er steht und sieht auf mich herab und wartet. Ich lasse ihn warten, ich gehe weiter, entriegle die schwere Tür, sie knarrt wie eine Turmtür, und betrete den Schuppen, wo die Kräuter trocknen, steige in ihrem Duft die Treppe empor zum letzten Absatz, da liegt es, das Gesangbuch, grau von Staub, liegt da seit jenem Abschiedsfest.

Hier oben denn, unter dem Dach, zwischen den Balken, stand ich, widerspenstig gegen meine dem Fernrohr zustrebende Begleiterin, und sah hinab in den Schacht, die dunklen Stollen, in denen es Wellen schlug. Es war in den frühen Morgenstunden, der Höhepunkt, wann immer er gewesen war, vorbei, das trunkene Dämmern schritt fort, die erhebende, selige Gleichgültigkeit über Ort und Zeit, hier und woanders, heute oder morgen, Leben oder Tod – erträglich jede Aussicht, jede Zukunft recht, wenn nicht gar willkommen, jedes Schicksal blind hingenommen, alles im voraus gutgeheißen, es kann nichts geschehen: ein Zustand, der aussöhnt – ich kenne ihn –, der zündet und gleichzeitig löscht; Trunkenheit, die auch

den fremdesten Gast von innen ausleuchtet, den
Mörder wie den Helden, ihn so erscheinen läßt,
wie er im Fleisch ist, unter der Haut, das geheime
Zittern einer Schwäche um die Mundwinkel, sonst
hinter Nüchternheit und Vorsicht versteckt, die
flackernden Lichter eines verborgenen Irrsinns
hinter dem Auge, und alle die anderen Zeugen des Kampfes zwischen Wirklichkeit und
Wunsch.

Aber diesmal sah ich nichts, entdeckte keine Ver-
borgenheit, ich sah alles nur von oben: Köpfe,
keine Schlüsse auf Wille oder Absicht,

während die junge Dame mich ungeduldig an der
Hand zog und ich schließlich folgte – ich oben,
unten die hölzerne Landschaft mit Figuren, ruhig
wogend, dennoch jederzeit vorbereitet auf einen,
der sich spät noch entschließe, etwas Neues zu tun
und damit alles noch einmal in Bewegung zu setzen –, nicht in Erwartung, aber jederzeit ent-
zündbar.

Endlich standen meine Begleiterin und ich hinter
dem Fernrohr, ich stellte es ein,

da erklang plötzlich unten ein mißtönender Akkord auf dem Harmonium, blechern und staubig,
halb Dreh-Orgel, halb Betstube, eine Ganznote
mit Fermate, dann ein zweiter Akkord, ebenfalls

gestreckt, dann ein dritter, der alle drei rückwir-
kend als Anfang eines Chorals erkennen ließ, trost-
los und kläglich verstimmt, Begleitung zum Stumm-
film eines gruslichen Gerichtes über vermeintliche
Ketzer und Hexen, die man sogleich unschuldig
foltern wird, ein f und ein fis fielen aus, und ein
tiefes a, waren nur Anschlag der Taste, eine fil-
zerne Anstrengung und ein knöchernes Klopfen.
Ich trat ans Geländer und sah hinab, und zugleich
mit mir hier und dort auf den Galerien ein Gast,
wahrscheinlich beauftragt von seiner lagernden
Gruppe, festzustellen, wer das sei, wer auf den
gräßlichen Gedanken verfallen sei, zu diesen
alten Tasten zu greifen, – wahrscheinlich wieder
dieser Richard oder jener Max, die es nicht lassen könnten, unvermeidlich käme ja in den frühen
Stunden eine dieser Darbietungen, die in an-
spruchsloseren Jahren noch gezündet habe, Hans
Georgs Kopfstand oder Henrys Rilke- oder Hei-
deggerparodie oder Marcels trunkene Entblößung
seiner krummen Beine, begleitet von echten Tränen, Ursache seines Zölibats, wie er mit vernichten-
der Begeisterung, wahrhaft hingerissen von ma-
sochistischer Offenheit behauptete –, all diese
Nummern, zwar langweilig aber dennoch erwartet
und dann doch mit Erfolg belohnt, eine Gewohn-
heit –

– aber es war keine solche Darbietung. Ein Fremder spielte. Auf dem Harmonium lag ein Panamahut, breitrandiger Schutz vor amerikanischen Sommern, daneben stand ein schwarzer Lederkoffer. Der Fremde saß auf einem Stuhl vor dem Instrument und spielte ohne f, fis oder a, alles verstimmt, staubig, knöchern, aber Choral bleibt Choral, ist auch in Verstimmung erkenntlich, ja, oft verleiht ihm erst Unvollkommenheit seine einfältige Inbrunst. Ich sah den Spieler nur in Verkürzung, da saß der Kerl und spielte wie engagiert, während noch jeder der Gäste die Möglichkeit seines Kandidaten erwog; ich hatte ihn senkrecht unter mir, ich also hätte ihn noch für einen geladenen Gast halten mögen oder für mitgebrachten Anhang, aber da war der Koffer, da war der Hut, und schließlich teilte sich auch mir das Erstaunen mit, verstärkt durch das Erstaunen der Beobachter unter mir, potenziert stieg es zu mir herauf mit der Frage: was soll das? Bald standen alle an den Geländern, der Raum war plötzlich voll von einem Chor, der von seinen Emporen hinabsieht und auf den wartet, der den Ton angibt. Der Mann stand auf, sah sich um, sah nach oben auf die bemannten Galerien und lächelte wie ein Zauberkünstler nach gelungenem Kunststück, verneigte sich, rief mit einem breiten zähnernen Lachen in die Runde:

»Hi, boys and girls!« und hob die linke Hand,
Fläche stirnwärts gerichtet, zum Gruß.

Keiner antwortete, alle sahen auf ihn herab, in einer
Trunkenheit, an der Argwohn nagte, verstimmt,
nicht lachend. Dieses Mißtrauen jedoch schien seine frohe Laune erst so recht zu entfachen, er hob
kurz den Zeigefinger, das bedeutete: »Jetzt wartet mal, ich habe etwas für Euch«, öffnete den
Koffer, entnahm ihm Bündel schwarzer Bücher
aus flexiblem Kunstleder, stapelte sie auf dem
Harmonium, der Stapel wurde zum wachsenden
Ziel der Blicke und blieb es, als der Koffer leer
war und der Fremde das Bündel aufnahm und
begann, es zu verteilen. Er verteilte zuerst unten
zwischen dem Gerümpel, dann stieg er die Treppe zur ersten Galerie empor, händigte hier, immer noch schmelzweiß lächelnd, ein leutseliger
Spender in höherem Auftrag, seine Bücher aus;
wortlos, Erwartung hinter sich herziehend, stieg
er zur zweiten Galerie, und alle Gäste streckten,
argwöhnisch aber willig, beinah schon fordernd,
die Hände nach dem kunstledernen Geschenk aus,
in Erwartung, daß hinter diesem ungewöhnlichen
Akt etwas anderes stecke, eine späte Überraschung,
etwas, das sich sogleich enthüllen und wahrscheinlich enttäuschen werde. Geschenk in der Hand,
sahen sie ihm nach, als lasse auch sein Rücken

Schlüsse zu, und erst als er die Treppe zur nächsten Galerie bestieg, senkten sie ihre Aufmerksamkeit auf das Buch hinab, rätselratend über den Titel und, blätternd, über den Inhalt, mutmaßend über die Bedeutung in diesem Zusammenhang, in diesem Raum, zu dieser Stunde, in Erwartung, daß es sich auf irgendeiner Seite als etwas anderes herausstelle als was es schien. Aber es war und blieb ein Gesangbuch der evangelistischen Erwekkungsbewegung. Gefolgt von sich ballendem Schweigen, in allerlei dumpfe Unheilswünsche gehüllt, aber gepanzert, unberührt, lachender Überbringer einer frohen Botschaft, setzte der Mann seinen Gang fort, er zog nicht schwer an den Blicken der Beschenkten, er lachte im Wissen, daß es schlimmer kommen würde, bis schließlich der Gebrauch des Geschenks die Beschenkten tausendfach belohnen werde – und schließlich stieg er die Leiter hinauf zu mir, kam mir entgegen, und nun blieb der böse Blick der Gäste auf mir haften.

Spät, nämlich jetzt erst, wurde mir klar, daß alle Anwesenden diesen Akt für einen Programmpunkt des Festes halten mußten, meinen Beitrag, ja, sie mögen sogar gedacht haben, ich hätte dieses Fest als Bekehrungsparty geplant, scheinheilig hätte ich sie zu frommen Zwecken in diesen Raum gelockt, das Harmonium kommen lassen und den Bekehrer bestellt. Da war er vor mir und hielt mir das Gesangbuch hin, er stand, groß und glänzend und schwer, eine Masse von sicher angelegter Gläubigkeit, mit kurz über der Kopfhaut geschorenem Haar, ein weißes bleiches Gesicht mit roten Bäckchen, gespannt von jugendlicher freudvoller Askese, ein Nichtraucher, Nichttrinker, hinter einer eckig geschliffenen, blitzenden Brille mit dünnem Metallgestell kleine funkelnde Augen, denen er, im Laufe langjähriger bekehrerischer Tätigkeit, einen Blick von Munterkeit angewöhnt hatte, Treuherzigkeit, ein humorloser froher Mund mit diesem lachenden Gebiß, zu weiß um echt zu sein, ein poröses Nylonhemd, vor Weißheit fast bläulich, gelbe Krawatte, bestickt mit einem schwarzen Kreuz, am Hemd befestigt mit einer Spange in Form gekreuzter Degen, in deren Mitte die Initialen W.B.P. eingraviert waren, kreuzförmige Manschettenknöpfe aus Gold, die Mitte des Kreuzes ein Rubin wie ein Blutstropfen, ein hellblauer, graugestreifter Gabardine-Anzug des Schnittes, den man leger nennt, mit Raum für Notizbücher und Schreibutensilien, eine rote Nelke im Knopfloch, mehrere Kriegsauszeichnungen am linken, Mitgliedsnadeln und Vereinsabzeichen am rechten

Aufschlag, eine ungeheuerliche Armbanduhr, die Stunden, Minuten, Sekunden, Datum und Wochentag angab, weiche blanke hellbraune Halbschuhe, alles an ihm war sommerlich trotz Winter, und alles wie es sein mußte, um Mut und Vertrauen zu einem noch ungenügend bekannten Glauben wachzurufen, freudig, zuversichtlich, farbig, es fehlen nur Ringelsocken, dachte ich, schwarzweiß gestreift, und ich trat vor, bückte mich und lüpfte ein Hosenbein, um mich zu überzeugen, daß er sie trug; er trug sie.

Ob ich der Gastgeber sei, fragte er mich auf Amerikanisch. Ja, das sei ich, sagte ich auf Englisch. Er zog eine Karte hervor und überreichte sie mir. Auf ihr stand:

Wesley B. Prosniczer

Revivalist

Chicago (Ill.)

Inzwischen erklangen gesummte Kadenzen, Fetzen gesungener Worte, Satzteile erbaulichen Inhalts, es wurde geblättert, gemeinsame Ansätze zweistimmiger Choräle wurden versucht, willkürlich, wahrscheinlich in entstellender Absicht, aber Prosniczer nahm es zu befriedigender Kenntnis, er stieg, befreit von seiner frommen Ware, leichtfüßig wie einer, der zum Hinab- und Hinansteigen letzten Endes keine Stufen braucht, zwischen den Galerien präludierender Gäste hinab, hüpfte, wie ein gertiger Dirigent zum Pult hüpft, der Wirkung seines schlanken Auftritts gewiß, ging zum Harmonium, legte die Hand leicht auf das Dach des Instruments, wandte sich den Galerien zu und rief: »And now, boys and girls, let' sing a little, shall we? I suggest we sing that wonderful wonderful song on page 49«— und ein Blättern huschte durch die Galerien, auch die junge Dame neben mir hatte ihre Sterne versetzt, zugunsten eines anderen Himmels, alle schlugen Seite 49 auf. Dann schlug Prosniczer den Ton an; ein mutiges Summen antwortete. Prosniczer präludierte, gab mit der Linken den Einsatz, und der Choral setzte ein:

> One sweetly solemn thought
> That comes to me o'er and o'er:
> Nearer the great white throne,
> Nearer the crystal sea...

— und alle sangen mit, manche falsch in Ton oder Aussprache, andere in Unverständnis des Wortlautes, den Sinn ertastend, manche zaghaft, in Anflug von Schamröte, aber Zuversicht gewinnend, eine Grimasse sah ich nicht, höchstens hier und dort ein Lächeln, aufgesetzt, um anderen gegenüber ironische Distanz kundzutun, dem Mitsänger zu bedeuten, daß man schließlich, um ein Urteil zu

gewinnen, auch Choräle prüfen müsse, wie Wein.
Da standen sie, sahen ins Buch oder ins Leere oder
auf Prosniczer, und da stand ich und sah auf die
Sänger und spürte, wie etwas Furchtbares sich im
Raum ausbreitete; das gemeinsame Handeln eines
Körpers sündiger Bekenner, einträchtiger Wunsch
zur endlichen Einkehr, eine feste feierliche Burg
baute sich auf, aus Mauern von starkem Gefühl,
reuiger Einsicht, die Nacht löste sich in Sonntag
auf, und jeder sah sich selbst ins Auge, ohne sich
anderer Augen zu schämen   So anfällig also,

so anfällig waren alle, sind alle, nicht nur meine
Gäste, alle außer einigen wenigen – außer mir
und einigen wenigen, aber wo sind die anderen? –
so empfänglich für den Willen eines, der sie überrascht und überrumpelt, der den empfänglichen Augenblick zu nutzen versteht. Wahrhaftig, das Bessere im Menschen ist immer noch schlimm genug,
diese schreckliche Erkenntnis ergriff mich, rüttelte
mich und ließ mich erschauern, läßt mich jetzt
noch erschauern, wenn ich an diese Nacht denke.

Gewiß, es hielt nicht lange vor. Als der Choral be-
endet war, als Prosniczer sich erhob, zu einer Predigt ansetzte, als er die Hände, Fingerspitzen nach
außen, vor seiner Krawatte zusammenlegte, die

Augen aufwärts richtete und anhob: »My friends
– or rather let me say: My dear good friends – – –«,
als sie aufgefordert wurden, zuzuhören, nicht mehr
singen durften, nicht mehr befreiend sich auszu-
drücken sondern befreit zu werden, sich behandeln
zu lassen, anstatt zu handeln, da platzte die Er-
baulichkeit im Raum, und eine Wolke von Unwillen machte sich breit, sie fühlten sich genarrt,
schämten sich ihrer voreiligen Bereitschaft zur Andacht, Ärger schaffte sich Luft, die Reste der Trunkenheit stiegen erneut zu mir empor, es raunte,
wurde unruhig, Prosniczers Worte gingen unter,
und als er die Hände zu einer beschwichtigenden
Geste entfaltete, wurde der Ärger zur Wut, einer
warf mit dem Gesangbuch nach dem Prediger,
und auch jetzt taten sie es alle dem einen nach, der
zur Aktion geschritten war, nun warfen sie alle
mit ihren Gesangbüchern.

Prosniczer lächelt um einen Grad größer, jetzt
kommt die Bewährung; er zeigt, daß dieser erste
feindselige Gegenschlag ganz natürlich, ja, sogar
eingeplant sei, er kennt ihn von früheren Ver-
sammlungen, er rechnet damit, ist sogar stets ein
wenig argwöhnisch, wenn er nicht erfolgt, dies ist
der Weg zu wahrhafter Bekehrung, gerade die
anfangs Unwilligen werden nachher die stand-
festesten Evangelisten, aus denen die Bekehrer

sich rekrutieren, dies war auch sein erstes Verhalten, als in ihm die Bekehrung einsetzte, rückblickend wundert er sich, daß er damals nicht selbst das Gesangbuch nach seinem Bekehrer geworfen hat –

aber als die Gäste nach anderen Gegenständen griffen, nach Holzleisten, die sie brachen, nach Nägeln und Holzkeilen, da mußte er sich, um seine Haut und seinen Glauben zu retten, hinter dem Harmonium verstecken, und plötzlich war er unsichtbar, der Unwille verpuffte am Instrument, prallte ab, stieg hinauf zu mir. Berechtigt, wie mir schien und heute noch scheint, denn spätestens jetzt mußten alle glauben, ich hätte den Mann bestellt, mußten sogar denken, daß ich, seit langem schon heimlich Evangelist und tätiger Bekehrer, mich eines hinterlistigen Vorwandes bedient hätte, um sie hierherzulocken, Wein und Whisky seien von der Erweckungsbewegung finanziert, ein Bekehrungsbankett, um dem Gott der Evangelisten gleich ein ganzes Schock Seelen zuzuführen, in einem einzigen Schub, und seien auch einige trunkene Stücke darunter –

es wurden Schimpfworte laut, böser Blick strahlte zu mir hinauf, Geschosse von Gift und Verachtung, die junge Dame drückte mir stumm das Gesangbuch in die Hand, die Lust nach den Sternen war

ihr vergangen, sie hatte nicht geworfen, stieg nun
die Treppe hinab, alles brach auf, ein Glas zer-
brach, eine Flasche wurde umgestoßen, einsilbige
ungehaltene Laute gewechselt, Blicke gesenkt, nun
schämte man sich der Andacht; Verachtung war
die Losung, die Halle leerte sich wie nach dem
Bühnenmißerfolg eines, den man für vielverspre-
chend gehalten hatte. Noch hielt sich eine Zeitlang
Bewegung in den vorderen Räumen, Mäntel wurden angezogen, Schneestiefel, mit laut geäußerter
Befürchtung vor Kälte wurde ein anderes Thema
angeschlagen, draußen breitete sich Nüchternheit
aus, die Türen gingen, Schritte verhallten, Moto-
ren sprangen an, dann rasselten Schneeketten,
aber kein Ruf mehr, kein Echo, winterliche Stille,
das Fest war wie nie gewesen, die Uhr schlug vier,
mein Hahn krähte. Ich war allein mit dem Bekehrer.

Er kam hinter dem Harmonium hervor, lächelte
immer noch, wahrscheinlich hatte er auch hinter
dem Harmonium gelächelt, und nun traf ihn, unerwartet, an der rechten Schulter, mein Gesangbuch, das heißt, es war nicht das meine, es war das
der jungen Dame, meines lag dort, wo es heute
noch liegt.

Er spielte seinen Part bis zum Ende. Seine Würde hatte sich zwar gelockert, aber er hielt sie fest, er lächelte, streckte mir die andere Wange hin, wartete auf das letzte Gesangbuch, aber ich verzichtete auf den Wurf. Daß er meine Gäste vertrieben hatte, war mir gleichgültig, ich war nicht in Ärger. Ich hatte mir ohnehin schon überlegt, wie ich sie wieder loswürde, denn solche Feste zogen oder ziehen sich ja nicht selten tagelang und nächtelang hin, – wie oft hatte ich schon einen Gast im Schubkarren aus dem Haus gefahren und ihn an der Landstraße an einen Baum gelehnt. Darin also hatte er mir einen Dienst geleistet. Dennoch war ich des ersten Wurfes froh. Ich hatte ihn getroffen, diesen Vertreter einer der Sinnlosigkeiten der Welt.

Ich habe auch an Celestina gedacht, an sie und ihresgleichen. Celestina, da steht sie, auf dem Platz im Leben, auf den man sie gestellt hat, auf dem sie stehen gelassen wurde, unerschütterlich in ihrem Glauben, eingeschüchtert nur von seinen beruflichen Vertretern, von den Pfaffen ruiniert, und doch bis zu ihrem Ende in Ausschau nach einem erlösenden Zeichen. Und nun kommt einer, der bietet billigen Ersatz an, gehüllt in süßliches Geflunker, schmeckt besser, rutscht besser, kostet nichts. Celestina stolpert, fällt, steht auf, schleppt sich weiter, scheitert und bleibt liegen. Andere lächeln, singen, schweben und werden fette Engel mit Palmzweigen und goldenen Zähnen.

Das letzte was ich von Prosniczer – ich meine dem lebenden Prosniczer – sah, war dieses Lächeln, das letzte was ich von ihm hörte, war sein Gang durch die Türen und Flure, verhallend, seinen Anlasser und das Fahrzeug, das sich rutschend entfernte, ohne Schneeketten, das war dann auch sein Verderb.

Die Gesangbücher waren am nächsten Tag verschwunden, außer dem einen, das hier oben unter dem Dach liegt. Celestina hatte sie verbrannt. Sie wußte, um was es ging, hatte das Treiben des Bekehrers schon vorher wahrgenommen, wußte, daß er im ganzen Tal, vom Paß bis zur Mündung, überall, in Gasthäusern, im Krankenhaus, beim Arzt, am Bahnhof, in der Post Gesangbücher gelegt hatte, wie Fallen oder versteckte Eier. Überall hatte man ihm die Bücher nachgeworfen. Nein, sagte sie, in dieser Gegend werde er kein Glück haben, hier sei und bleibe alles katholisch. Sie sagte es mit leuchtendem Triumph, als sei sie keine Verstoßene, als genieße sie, Stunde für Stunde, die Gnade Gottes.

Das also war Wesley B. Prosniczer, eine Figur des Zufalls und damit unentbehrlicher Akteur in dem Spiel, das hier gespielt wird. Ein dankbares Fach. Die Rolle, die er in meinem Leben übernommen hat, die des Teufels ex machina, des Verschreckers, endgültigen Vertreibers meiner Gäste, hätte er allerdings nicht begriffen, sie wäre ihm unverständlich erschienen, hätte er die Wirkung erfahren und gelebt, um die Erfahrung zu verarbeiten.

Hier oben also liegt das Gesangbuch, wie von einem Andächtigen abgelegt, der zurückzukehren gedenkt. Hier oben herrscht absolute Stille, absolut sage ich. Hier höre ich nichts, nichts über mir und nichts unter mir, keine Bewegung, keinen Gedanken an Bewegung, nur manchmal knackt es auch hier kurz, auch hier biegt und spaltet sich Holz, und früher, aber jetzt nicht mehr, hörte ich das Geräusch einer Eule nachts, einen verhallenden Klageton, ein tiefes Flöten – ich weiß nicht, wie sie das macht – sah ich nachts auch die beiden Eulenaugen, freundliche Warnzeichen, Sperrlichter eines Gebietes, das nicht mehr zu betreten ist. Früher sage ich – manchmal – aber jetzt nicht mehr, schon lange nicht mehr. Auf diesem Dachboden bin ich einer Strömung entronnen, der ich unten ausgesetzt bin, tauche aus einer anderen

Schicht empor, es bewegt sich hier weniger, weniger Luft, es ist auch dumpfer, aber eben ruhig, absolut ruhig. Diese paar Meter Höhenunterschied machen viel aus. Hier oben bin ich in einem umgekippten, ausgehöhlten Schiffsleib, einer Arche umgedreht, bin in diesem Gerüst von altem Holz, roh mit der Axt behauen und roh zusammengefügt, zwischen Fledermausdreck, Spinnweb, aus dem die Spinne sich längst zurückgezogen hat, um ein frisches Netz zu ziehen –, Staubweb, vermoderte Falter, im Flattern verreckt oder während eines letzten lahmen Flügelschlags erstarrt, rostige Konservendosen, verteilt wie bei einem Spiel an Deck, die das Regenwasser tropfenweise dort auffangen, wo der Schiffskörper leck ist,

all dies und daran vorbei, jetzt beginnt es zu ziehen, hier strömt Luft ein, zwischen diesen Balken, die einander willkürlich kreuz und quer stützen, stützen wo die Stütze hintrifft, herrscht ein anderes Gesetz, ein Dachbodengesetz, unverändert seit dem Mittelalter, ungeschriebene Ehrensache, Grundregel der Zunft der Zimmerleute –

und auch daran vorbei, bis zum letzten äußersten Winkel, der Luke mit den verrosteten Eisenrahmen und zerbrochenem Glas, die immer offen steht, denn durch sie führt, geschützt durch das Blech der Dachgaube, der Arm des Teleskops – nein, das

nicht, es ist kein Teleskop, es ist ein Fernrohr, es
weist hinaus, nach oben, in die Nacht, es sticht in
die Sterne.

Es sticht nicht tief, immerhin tief genug für den
Ring des Saturn und für die Landschaft des Mondes. Es ist alt, es hat meinem Onkel gehört, er hat
es anbringen lassen, um in die Sterne zu sehen
und zwischen sie, und aus diesen Sichten keine
Schlüsse zu ziehen.
Da steht es, umständlich, voller hilfloser überhol-
ter Neuerungen, verrosteter Stolz seines Erbauers.
Schön ist es nicht, es entstammt gußeiserner Zeit,
der Zeit gußeiserner Kanzler, Kopfbahnhöfe, Sitz-
bänke auf Kurpromenaden, leider nicht der Zeit
eingravierter Sternzeichen, schlanker römischer
Ziffern und Symbole, mystischer Weltsysteme, der
Zeit, die ihre Instrumente der Erkenntnis deko-
rierte und ihre Männer der Erkenntnis verbannte
oder verbrannte.
Aber es vergrößert sechzigmal, diese Vergrößerung
wird mit der Zeit nicht kleiner, und einmal in der
Nacht ist es mein Ziel, so weit komme ich, bis zu
diesem obersten, äußersten Winkel meines Hauses, weiter nicht, weiter will ich auch nicht, jedenfalls nicht auf meinen Beinen, wohl aber mit meinen Augen und Gedanken, hier stehe ich still, mein

Körper schlägt Wurzel, als stehe er hier von nun an
für immer und ewig. Ich spüre diesen Körper bald
nicht mehr, nicht die Beine, auf denen ich stehe,
keine Schwere, keinen Ballast, nichts zieht mich
nach unten, nichts hält mich auf dieser Erde, ich
stehe hinter dem Rohr, körperlos, bewege sacht ein
Rad und eine Kurbel, verfolge die Veränderung
mit süchtigem Auge, ich stelle mir das Gerät ein,
um mir das stumme Rätsel zu entzerren, es näher
heranzuholen –, da steht es denn, leuchtend und
schwarz und flimmernd und still und schweigend,
Zeichen, die nichts bedeuten als eine verschmähte
Antwort, eine reiche Saat runder fester Tatsachen,
die aber nicht aufgeht. Hier stehe ich und bohre
mich tief ins ewig Unvorstellbare.

Wenn der Mond scheint, so stelle ich das Rohr auf
ihn ein und beobachte dieses Ding, betrachte es zuerst von außen, ich nähere mich allmählich; sanft
wie der Flug des Engels auf einer Verkündigung
lande ich dann auf seiner Oberfläche, ich stehe auf
ihr, auf ihm, dem Ding, der erträumten Zwischen-
station von Menschen astronautischer Kategorie
und Ausmaße, Zielort des abgetakelten Witzes von
Mondmännern –,
und nochmals stoße ich mich ab, schwebe über seiner Oberfläche, bleibe stehen, vielleicht am Krater

Plinius, blicke über die Weite des mare tranquilita-
tis –, eine schattenlose Ebene, eine kalte Wüste –, dahinter erheben sich Goclenius und Guttenberg, zwei
abweisende Brüder, rechts, nah bei mir, Arago, ein
Nachmittagsspaziergang, freilich ohne Raststation,
ohne Verlockung, keine Jause, keine Mohnkipfel,
irgendwo hören Kindheit und Kinderei auf, und
dies ist der Ort, hier ist die Grenze, vorher allerdings nicht. Hier stehe ich, ein Kompaß zwischen
West und Nord, ich schirme die Augen mit meiner
Hand, ich liebe dieses Licht nicht, das grelle durch-
lässige Dunkel des Himmels über mir und das eisi-
ge Leuchten des Bodens, auf dem ich stehe. Das
Schwarz der Schatten blendet mich. Dennoch, ich
koste von dieser Einsamkeit, ich schließe die Augen, versuche, mich abzuschließen, aber jetzt sehe
ich abgestecktes, vermessenes Gebiet, abgezirkelt,
aufgeteilt, Grenzsteine, Markierungen, Gitter, Na-
tionalflaggen, und das Bild ist gelöscht, ich sehe
nichts mehr, höre nichts mehr, nicht die Stille und
nicht das Dröhnen, wenn anderes Gestirn sich
schwer über den Gesichtskreis wälzt, ich sehe den
Mond, dieses Ding, das soeben noch heiß war, weich
war, kochte, Blasen trieb, erkaltet und erstarrt,
sehe nur noch Beulen und ihre triviale Deutung,
das verzerrte Gesicht, warzig, schartig, im Raum
steckengeblieben, stehen gelassen, ohne Ruf oder

Echo, bevölkerbar und damit entwürdigt, ein toter Satellit –

oder sehe Halbmond, ein Teil des Dinges im Schatten, dennoch von außen als Kugel sichtbar –, da steht sie, ein kalt beleuchteter Ballon – nein, das nicht, ein rundes Stück verhärteter Käse, fleckig und schimmlig –

aber genug davon. Der Mond ist nur der Ort meines Absprungs, ich will auf anderes hinaus und komme auch auf anderes, weiter Entferntes, wenn auch längst nicht das Entfernteste, auf das aber auch das größte Teleskop der Erde nicht kommt, denn auch dieses kommt ja immer nur auf die ewige Fortsetzbarkeit der Frage, nirgends stößt es auf einen Urgrund, nirgends Urstoff. Sechzigmal ist die Vergrößerung, nicht stark, aber wäre sie auch stärker, wäre sie noch so stark: es wäre mir kaum möglich, das zu sehen, was ich sehen will, nämlich nichts.

Mit »Nichts« meine ich nicht das modische Etwas, genannt Nichts, das sogenannte »absolute Nichts«, voll von unerträglichem Pathos, das unbestimmbare, dehnbare Nichts der Philosophen, Thema lebloser Gespräche am runden Tisch, im schalltoten fensterlosen Raum, strapaziert, aufgebläht, ein Ballon voller Nichts, und nur »Nichts« genannt, weil nichts Besseres darauf paßt, die Nichtung oder Nichtigkeit alles Seienden, deren Walten mich nichts angeht und nur ihre Verwalter interessiert – nein: ich meine das geographische oder vielmehr das kosmographische Nichts, den leeren Raum zwischen Bündeln, den Mengen, den Gruppen von etwas, von viel oder von zuviel, das Unsichtbare zwischen dem Sichtbaren, das Loch im Himmel, das große Rohr, das meine Sehnsucht in den Himmel bohrt, das Verlangen, wie das Verlangen, das Celestina nach Gott hat, Verlangen nach dem Ort, an dem nichts ist und nichts sein kann und nie etwas gewesen ist, das treibt mich hinauf, seinethalben schlage ich Wurzeln hier, älter als die des Instruments, so alt wie die der ersten Sterngucker. Galilei, Kopernikus, Kepler sind ältere Brüder, gewiß: klügere Brüder, die ihre Sicht auszuwerten wußten und mitteilten – dennoch Brüder: – für sie wie für mich ist Nichts der leere Raum, durch den man hindurchsieht auf Etwas, Nichts ist das, wo Zwischenraum ist und sonst nichts.

Dieses Nichts ist das was ich suche. Ich suche es zu verschiedenen Jahreszeiten und Nachtzeiten, an verschiedenen Orten am Himmel. Dieses Nichts habe ich gesucht, seit ich hier bin, und manchmal frage ich mich, ob auch mein Onkel es gesucht hat, mit diesem Fernrohr. Hat auch er, das möchte ich wissen, dort gesucht, wo Bilderhimmel und Sagenhimmel sich verfransen, wo die schön benannten Sterne aufhören, am Himmelsteil, an dem kein Schiffer, scheiternd zwischen Scylla und Charybdis, sich jemals orientiert hat, arm an Sterngefährten und Feuerwagen, fremd dem Phaeton, Sehnsucht vielleicht des Ikaros, gemieden von Sonnen und ihren Systemen, zumindest von den bekannten? Vielleicht also hat schon mein Onkel Nichts gesucht, aber ich glaube nicht, das war seine Sache nicht. Wenn er es aber gesucht hat, so hat er es gewiß nicht öfter oder besser gefunden als ich es finde, oder zumindest: als ich es fand, bevor es mir gelang, mein Sichtfeld wenigstens um ein geringes einzuengen. Denn so sehr ich auch, an Rädern und Kurbeln drehend, um mir das Rohr millimeterweise zurechtzurücken, in den Himmel starrte –, es wollte mir keine Einstellung gelingen, bei der nicht doch am Rande, soeben noch sichtbar, ein Fixstern stand, Ausläufer einer großen Galaxie oder letzter Fixierungspunkt eines beliebten Sternbildes, und wenn ich nur einen Millimeter, den Teil eines Millimeters weiterrückte, so schien mir an der anderen Seite schon wieder ein Planet ins Rohr, oder die Reste eines diffusen Nebels oder eines planetarischen Nebels wehten herein, zugig, unter mein Dach, so daß ich in ihrer Luft fröstelte. Ich wollte blauschwarz dort wo es leuchtete, das Funkeln machte mich schwindlig. Rückte ich um eine Viertel-Umdrehung nach oben, so verließ mich unten vielleicht ein Stern, von dem ich loskommen wollte, dafür kam von oben der Ausläufer eines offenen Haufens ins Blickfeld, oder ein Kugelhaufen, ich fand nichts nicht, nicht nichts, ich wurde meiner Beobachtung nicht froh.

Ich fertigte mir sogar – Gipfel der Unwissenheit und der Täuschung – aus Pappe eine Scheibe an, in die ich, konzentrisch mit ihrem Umfang, achsengerecht ein rundes Loch schnitt, dessen äußere Maße genau mit dem inneren Rundmaß des äußeren Objektivs übereinstimmten, ich schraubte die Metallfassung der äußeren Linse ab, drückte die Pappscheibe rundum an das Glas und schraubte die Fassung wieder fest darüber. So, dachte ich, werde ein verringertes Objektiv entstehen, ich könne, so meinte ich, den Radius des Sichtfeldes um diese Fläche, die Pappe zwischen den beiden konzentrischen Kreisen vermindern, könne meinen Blick einengen, mein Auge geradeaus stoßen lassen, das Schweifen verhindern, so dachte ich –, aber nichts dergleichen geschah: vor mir stand das gleiche glitzernde Rund, nur war alles ein wenig dunkler, war aber nicht von der Dunkelheit, die ich ersehnte.

Dann ließ ich mir ein anderes Okular einsetzen. Es engt die Sicht ein, ist dafür aber stärker, es läßt manches unwillkommene Gestirn seitlich zurück, dafür aber holt es tiefer liegendes näher heran, Gewirr ohne Namen, Sternstaub, läßt eine neue Schicht von Helle hinter der Dunkelheit erscheinen, vielleicht aber auch nur erahnen; das ist dasselbe: ich weiß zuviel, ich weiß, daß dort, wo Dunkelheit scheint, keine Dunkelheit ist, daß es sie nicht gibt, daß dort, erkennbar mit größeren Teleskopen, ganze Galaxien sind, ungeheuerliche Sonnensysteme, daß hier nicht und nirgends das ersehnte, das erträumte Nichts ist, sondern etwas, das wieder sichtbar, meßbar ist, in ewiger Fortsetzbarkeit, dessen Sicht und Maß aber niemandem weiterhelfen, Sichten, die nichts beweisen als das, was man ohnehin weiß: daß alles sich wiederholt.

Dennoch: manchmal, im frühen Sommer zum Beispiel, gelingt mir, an einer einzigen bestimmten Stelle, mit geringstem Maß der Selbsttäuschung, die ich überspiele – gelingt mir der Absprung ins Dunkle, ich stoße mich ab vom Mond, lasse andere

Monde und Trabanten hinter mir, stoße tiefer in den Raum vor, immer tiefer in Raum und Dunkelheit, es schwindet die Erde unter mir, diese tote Kugel, bekrochen von Parasiten, ihre Anziehungskraft verwirkt, verausgabt sich, ich spüre die Wärme des Erdkerns aus mir schwinden, die Kraft des Magneten läßt nach, ich werde leicht, ich fliege, schwebe entlang, hinan zwischen rauschenden, dröhnenden Erden und Planeten, hindurch zwischen heißen Sonnen, kalten Monden, in wechselndem Licht, streife eine krustige Oberfläche, stoße durch Nebel hindurch, über die nördlichen Sternfelder, hier ist denn nichts mehr von Schöpfung, all dies war schon immer da, lange bevor man sich Götter buk, aus denen man dann einen Gott gebacken hat, – entschwebe, einem Loch entgegen, dorthin, wo unser Sternsystem weitmaschig wird, abseits der Milchstraße, einer Verheißung entgegen, ich lasse das Jota im Drachen nördlich liegen, im Süden das Theta und die beiden Doppelsterne Jota und Kappa im Bärenhüter, vorbei an allem, ausholend in unendliche Weite, vorbei, vorbei am Sternbogen der Corona Borealis, vorbei an den Armen des Herkules, der erst in vielen Jahrmillionen so heißen wird, denn jetzt stoße ich tief in die unendliche Vergangenheit, hier gleichbedeutend mit unendlicher Zukunft, und immer gezogen von meiner Sehnsucht, nirgends zu sein, dorthin, wo kein Stern, kein Licht mehr sichtbar ist, wo nichts ist, wo nichts vergessen wird, weil nichts erinnert wird, wo Nacht ist, wo nichts ist, nichts, Nichts. Dorthin –

Hier stehe ich jetzt, in Nachthemd und Morgenrock, mit hängenden Armen, eine leere Flasche in der Hand. Ich werde nicht durch das Fernrohr sehen heute nacht. Ich denke, daß der Himmel bedeckt ist. Ein Wetterumschlag ist im Gang. Jetzt spüre ich ihn auch, in meinen Augen, meinen Gliedern. Die Nebelwand rückt an, die Wettergrenze, der Sommer, vor Wochen verjagt, zieht die letzten Ausläufer seiner Nachhut hinter sich her, um keine Spuren zu hinterlassen. Wann werde ich wieder in meinem Sommerbett schlafen?
Ich lösche das Licht, verlasse den Raum, schließe die Tür, betrete den Hausflur,
Hamlets Vater ist verschwunden, er hat sich aufgelöst, an seinem Platz steht, stellvertretend, der Vorwurf, aber ich nehme ihn nicht an, ich lasse ihn stehen, und er löst sich in Schwaden auf, Fetzen, in denen ich, wie immer, den lange verhallten Ruf zur Tat noch höre, zur Handlung, aber ich beachte ihn nicht, ich nicht.

Einer aufsteigenden dunklen Laune folgend, steige ich die Treppe zum ersten Stock hinauf: ich will nächtliche Gegenstände sehen, sie in ihrem unbeleuchteten, unbeobachteten Eigenleben ertappen, vielleicht Jean Gaspards Bild jäh anleuchten, vielleicht bekomme ich noch, bevor die Schwärze sich ausbreitet, ein entfliehendes sujet zu fassen; ich werde mit der Hand über die Kopffedern eines ausgestorbenen Vogels streichen, und vielleicht schnappt er nach mir,

nein: ich werde mein Sommerbett besuchen, an warme Nächte denken, oder auch an furchtbare Nächte –

ich öffne die Tür, betrete das Zimmer, mache Licht. Da steht es, in der Mitte des Raumes, der nur ihm gehört. Es ist so groß, daß es sieben Schläfern Platz zu ausgestrecktem Schlaf und sogar zu jäher traumbedingter Bewegung bietet, ohne daß diese sieben einander wesentlich ins Gehege kämen, es sei denn auf Wunsch, aber der Wunsch wäre wohl mehr eine Sache des Wachens.

Es hat aber, seit ich es besitze, noch keinen sieben Schläfern Platz geboten, nur ich schlafe darin, im Sommer, oder ich liege darin, schlaflos.

Ich schlafe, wenn ich schlafen kann, in schlafseliger Verlorenheit, liege quer und strecke mich aus und fühle nirgends Kante, überall ist Bett, alles weich und kühl und leinern.

Es ist nicht das größte Bett, das ich gesehen habe. In London, im Victoria-and-Albert-Museum, gibt es ein größeres. Es heißt: »the Great Bed of Ware«, wohlgemerkt: nicht »the Big« oder »the Large Bed of Ware«. Die Größe des Wortes »great« bezieht sich also nicht auf die äußeren Dimensionen des Bettes sondern auf seine innere Großartigkeit, seine Bedeutung innerhalb einer geschichtlichen Epoche, seine Zeugenschaft großer schläferischer Vergangenheiten. Ware liegt in der Grafschaft Hertfordshire, heute gibt es dort noch eine gotische Kirche, drei Ziegeleien, Malz wird dort verarbeitet, aber der Gasthof, in dem dieses Bett stand, einladend, breitfüßig, mit vier gedrechselten Pfosten, Säulen, die den Baldachin trugen, alle eichen, alles solid, die Querbalken zum Teil geschnitzt, zum Teil belegt mit Intarsie, die Werdendes und Vergehendes darstellt, mehrfarbig gebeizt – der Gasthof ist verschwunden, an seiner Stelle steht wahrscheinlich ein Hotel mit unsäglichem Essen, Gemütlichkeit hat sich ausgebreitet, wo einst Schicksale zusammentrafen, um einander schweigend, schlafend zu übergehen.

Dieses Bett ist aus dem siebzehnten Jahrhundert, und damals beherbergte es bis zu zwölf Personen auf einmal. Mein Bett dagegen beherbergte nur sieben Personen. Ich habe es aus Privatbesitz erworben, nur das Gerüst natürlich, ohne Matratze und ohne Baldachin, ohne Behang oder Stoff. Der Besitzer mußte die unhandlicheren Stücke seiner Sammlung abstoßen, wie es heißt; es war einer, der sich in Einzelheiten verliebt, der sich in die Betrachtung einer Augenbraue oder eines Stückes edler Ornamentik vertieft, der mit dem Vergrößerungsglas hantiert, und von diesem Stück trennte er sich ohne Schmerz, denn es hat keine Einzelheit, es ist schmucklos, schamlos, um wesentliches roher als das Museumsstück, ungebeizt, unverziert, es spannt sich ganz und gar seinem Zweck entgegen, ohne den Schlafgast durch das Einwirken künstlerischer Übertragung einlullen zu wollen –, ohne Lockung als die auf den natürlichen Akt des Schlafens.

Es kommt aus Mittelengland, aus der Grafschaft Cheshire, aus einem Ort, der Skye heißt, es ist früher datiert als das große Bett von Ware, es ist aus dem frühen sechzehnten Jahrhundert. Dort stand es also, und zwar bis zur großen Pest im Jahre 1522, ebenfalls in einem Gasthof, einer einfacheren

Herberge, besucht meist von Reisenden zu Fuß, von müden Wanderern ohne besonderes Glück oder Geschick. Es bot, wie gesagt, sieben Personen Platz, vielleicht nicht jede Nacht, aber zur Zeit der großen Wallfahrten oder anderer Märkte und Bewegungen, da war es voll, da mußten wahrscheinlich sogar Gäste abgewiesen werden. Und da schliefen sie denn, die rechtzeitigen Sieben, die einander nicht kannten, bis auf die Ehepaare, Reisende, die einander zufällig im Gasthaus, bei Tisch oder im Bett begegneten; es ist möglich, daß die äußeren Schläfer einander nicht zu Gesicht bekamen, mancher mag schon geschlafen haben, als der andere kam, und früh morgens schon weitergezogen sein, als der andere erwachte. Manchmal, im Sommer, sehe ich mich beim Erwachen als der letzte von sieben Schläfern, sehe an meinen beiden Seiten je drei Abdrücke von Schicksalen, die eine ganze Nacht lang neben dem meinen herliefen, ohne es berührt zu haben; sehe mich als einen der sieben letzten Schläfer in diesem Bett, etwa als einen sündigen Mönch, oder als einen müden Soldat, oder als einen deutschen Edelmann vielleicht, der sich im Weltekel bis hierher vorwärtsgetastet hat und nicht weiter, oder als einen satten Müller.

Hier liege ich in meinen Sommernächten, in diesem
Bett, das sieben Schläfern Platz bot –, in dem aber
schon lange, lange keine sieben Schläfer mehr gelegen haben, nicht seit jener Nacht im späten
Frühling oder sagen wir im frühen Sommer des
Jahres 1522, da lagen vielleicht sieben Schläfer in
diesem Bett, zum letzten Mal –

da kam früh abends ein Mann, vielleicht ein Mönch,
schmächtig und dünn bis auf seine großen, breitge-
tretenen, auf entsagungsvollen Wegen erhärteten
Barfüße, vor die Herberge, in der dieses Bett stand, er
kam müde, er war vielleicht schon wochenlang unterwegs, kam von St. Gallen, und sein Ziel war Ir-
land – betrat das Gasthaus, erbettelte dort einen
Eintopf aus Resten, den ihm die Wirtin gern gab,
da sie mit der Speisung von dieserart Gästen ihren
Platz im Jenseits zu halten hoffte, der ihr aus
mancherlei Gründen nicht sicher zu sein schien –,
er, der Mönch, ißt, verrichtet schnell sein Gebet
und seine anderen kärglichen Bedürfnisse, steigt
hinauf zum Schlafraum, wo dieses Bett stand,
entledigt sich seines Skapuliers, des Zingulum,
während sich unten vielleicht schon ein weiterer,
diesmal weiblicher Wanderer der Nacht der Haustür nähert –, die Kutte behält er an, dieser Mönch,
den Rosenkranz wickelt er fester um das Handge-
lenk, damit die Devotionalie auch in seiner schla-

fenden Abwesenheit für ihn bete, er geht zum Bett, schlägt den Belag zurück, um sich an den äußersten Rand zu legen, denn er will der erste sein, der aufstehe, nicht um sich Peinlichkeit zu ersparen, Peinlichkeit gab es damals noch nicht, sondern weil er einen weiten Weg vor sich hat. An Versuchungen denkt er nicht.

Schien der Mond?

Ja – oder sagen wir, er schien noch nicht, aber er war im Aufgehen, ein Dreiviertelmond vielleicht, er hat das Fenster noch nicht erreicht, hinter dem der Mönch liegt, dafür legt er einen langen Schatten neben den zweiten Gast, die Gästin, die, während der Mönch sich auszieht, vor der Tür steht, während der Mönch sich hinlegt, das Haus betrit und damit den Mondschatten ablegt, eine Dame, die bessere Nächte gekannt hat und schlechtere kennenzulernen fürchtet, aber nicht mehr kennenlernen wird, eine Courtisane, nenne ich sie Anne. Anne ist am Altern, hat daher die Gunst ihres letzten Galans, des alten Herzogs von Northumberland verloren – falls damals dieser Titel besetzt war –, der hat plötzlich Gefallen an minderjährigen Pächterstöchtern entdeckt, an Jungfernhäutchen, und das ius primae noctis wachgerüttelt –, aber das wäre eine andere Geschichte, wahrscheinlich eine schlechte.

Anne ist auf dem Weg von den Gütern des Nordens zur Gosse des Südens, London oder Frankreich, ihre Hoffnung ist zwar nicht groß, aber noch nicht erloschen, noch ist sie stattlich, üppig, aber unter der Stattlichkeit fault es, ihre Haut wirft keine Hügel mehr sondern Falten, Runzeln, und die Seide darauf wird matt, der Samt darauf glänzend und alles fadenscheinig. Während oben, noch nicht beleuchtet vom steigenden Mond, der Mönch den Bettbelag über sich legt und die Hände zwischen dem Rosenkranz faltet, zu einem letzten, ich sage letzten, Gebet – inzwischen weiß ich, auf was ich hinaus will – leert unten Anne mit der Wirtin einen Krug mit Ale, sie erzählt, während der Mond schon kürzere Schatten wirft – einen davon vielleicht über ein Ehepaar, ein Müllerpaar, im Staub der Straße, dem Gasthaus noch nicht nah, aber ihm zustrebend – erzählt der Wirtin, im unverhohlenen Grundwörterschatz der Zeit, vom Geschehen in großen weichen spiegelverschalten Räumen, die sie nun für immer hinter sich gelassen hat. Die Wirtin hört zu und schweigt und verschweigt den gegensätzlichen Gast dort oben, dessen Abdruck auf dem Bettbelag der Mond nun in einem schmalen Streifen, einem Strich erreicht. Da liegt er, an fremde und – wahrhaftig! – an schlimmere Schlafstätten gewöhnt, dennoch in eine unheilvolle Ahnung gehüllt – Anne unten zerlegt ein Täubchen, lutscht an ihren Fingern, er oben versucht seine nächtlich gelockerten schweifenden Gedanken auf der Bahn der Mitte zu halten, die geradenweges zu Gott führt, er hält den Blick seines schmalen Geistes von Seitenpfaden ab, obgleich er sie seltsam spürt –, unten sitzt also die Wirtin, sitzt Anne, knackt, schlürft, schluckt, schleckt sich die Lippen, spült einen Krug Ale der Mahlzeit nach, oben liegt der Mönch, müde, draußen gehen Wanderer, waltet die Nacht, scheint der Mond und bescheint inzwischen ein größeres Stück Bett, in dem der Mönch einschläft, und Anne wischt sich den Mund mit dem Arm, schürzt ihre Röcke, wünscht der Wirtin eine gute Nacht und steigt langsam die Treppe empor, der Mond beleuchtet die Treppe nicht, beleuchtet auch die Küche nicht, in der nun wieder die Wirtin steht, um für kommende Gäste eine Mahlzeit – die letzte Mahlzeit – zu bereiten –; beleuchtet aber das Müllerpaar, das dem Gasthaus nun näher ist, beleuchtet nicht oder kaum einen, der sich mühsam dahinschleppend schon die Gasthaustür erreicht – denn jetzt wird es Zeit für die dritte Stimme der Fuge – einen jungen Soldaten, der kommt – aus welcher Schlacht? – er kommt aus der Schlacht von Padua, derselben, in der Marthe Schwerdtleins

Gatte gefallen ist und sich Herzog Maximilian von Bayern eine ehrenhafte Schwertwunde erworben hat. Er ist erst neunzehn, aber sein Körper altert seit Tagen unheilvoll, er wirft kaum noch einen Schatten, obgleich der Mond ihn sieht, Anne auf der Treppe und die Wirtin in der Küche sieht er nicht, der Mond, sieht und beleuchtet dafür einen Traum, der auf den Mönch zuflattert, einen frommen Traum, der aber bei heutiger Betrachtung weniger fromme Deutung zuläßt, der setzt sich auf seinen schmächtigen Träumer, um Besitz von ihm zu ergreifen – wie steht die Fuge? Anne oben, der Soldat vor der Gasthaustür, das Müllerpaar schon nahe, ein anderer Wanderer noch weit, ein weiteres Paar noch weiter, Traum im Mönch, Mönch im Bett, Mond am Himmel, und Anne beginnt sich auszuziehen, sie legt Zuckerhuthaube, Schleier, Band und Brusttuch ab, Umhang, Mieder, Überkleid, Unterkleid, sie schält sich aus den Hüllen, bis sie ist wie Gott sie hat werden lassen, wenn auch nicht wie er sie erschaffen hat, splitternackt und guter Hoffnung auf ein früchtetragendes Abenteuer, nur ihre goldene Halskette mit dem elfenbeinernen Erlöser daran, die behält sie an, nicht weil sie dem Glauben an diesen Erlöser huldigt, nein, er ist ihr zwar streng anerzogen aber lang abhanden gekommen, vielmehr behält sie ihn an, weil er ein Wertgegenstand ist, den sie ihrer unsicheren Zukunft entgegenzubringen gedenkt – splitternackt fällt ihr Blick auf Skapulier und Zingulum, schwarz im Dunkel des Zimmers, nicht im Mondlicht, das auf das staubhelle Wams des Soldaten fällt, der soeben das Gasthaus betritt, angefressen vom Tod, den aber der Mond nicht beleuchtet, dafür beleuchtet er unter Milliarden nennenswerter Gegenstände das Müllerpaar, nun schon beinahe am Gasthaus, getrieben vom Verlangen nach einer reichen Mahlzeit –, beleuchtet auch den anderen Wanderer, noch am Stadttor der Stadt Skye, und ein anderes Paar, noch weit vor dem Stadttor der Stadt Skye, beleuchtet Annes Erstaunen, ihre Bekreuzigung beleuchtet er nicht, denn sie bekreuzigt sich nicht, ihre Augen suchen in diesem Bett, meinem großen Sommerbett, nach dem Träger der frommen Kleidung und finden ihn in einem Fleckchen von schrägem Mondlicht, das aber haltmacht vor dem Teufel, der die Dirne beschleicht –, ihr Teufel also liegt in tiefem Dunkel, ebenso das Lächeln, das sich in ihr, von dem Teufel ausgehend, ausbreitet – dafür beleuchtet dieser Mond den Traum des keuschen Schläfers, der vielleicht einen kontrapunktisch genauen Gegensatz zu dem enthält, was ihm bevorsteht, vielleicht aber auch nicht. Der Soldat steht nicht mehr im Mond, er steht im Haus, steht vor der Wirtin. Der Mond steht höher am Himmel und wirft über das Paar, das dem Gasthaus nahe ist, einen kürzeren Schatten und einen ebenso kurzen über den einzelnen Mann, der inzwischen die Stadt durch das Tor betreten hat, ein Bader übrigens –, wirft Schatten über das andere Paar, zwei männliche Gestalten, noch unkenntlich, ich habe mich noch nicht entschieden, – zwei Gestalten also, die das Tor noch immer nicht erreicht haben, aber später auch hier enden – ich sage enden – werden, ich habe das Ende parat. Müllerpaar vor der Tür, Bader im Mond, Traum im Mönch, Mönch im Bett, Anne am Bett, Soldat im Haus, Wirtin beim Soldat –, sie betrachtet ihn, wie er zitternd und bleich und schwindlig sich ihr entgegentastet, mit keinem anderen Wunsch als dem nach einem Bett, die Wirtin dagegen tastet ihn mit den Blicken ab, sie findet ihn zitternd und bleich und schön und versucht, ihn in ihr eigenes Bett abzuleiten, bevor er oben, im großen Bett, der Anderen anheimfalle, sie zeigt ihm, was sie hat, deutet an, was sie kann oder zu können vorgibt, greift dabei in Annes Erinnerungsschatz, aber er hört nicht zu, nimmt nichts von alledem wahr, weder Eigenschaften noch Versprechen, er wehrt stumm ab, schüttelt den Kopf, ist nicht hungrig nach ihrem Fleisch, ist überhaupt nicht hungrig, er ist durstig, will aber keinen Ale sondern Wasser, Wasser, trinkt einen ganzen Krug leer, in großen, schmerzhaften Schlucken, während der Mond schon höher aber noch nicht hoch genug steht, er scheint auf die Erde, auf England, auf die Grafschaft, auf die Stadt, auf das Gasthaus, auf das Müllerpaar vor dem Gasthaus, es ist vielleicht auf dem Heimweg von einer Erbschaftsverteilung, befriedigt über seinen Anteil, zufrieden mit der Welt und ihren Gütern, nach denen sie gemessen wird –, scheint schräg auf den einzelnen Gänger der Nacht, der näherkommt; wie gesagt, ein Bader, und zwar ein heruntergekommener, einer auf Abwegen, schon lange seines Badehauses ledig, ein unehrlicher Kerl –, scheint auf das weitere Paar, nun schon am Stadttor, einen alternden deutschen Edelmann, im Verkommen begriffen, und einen hübschen jungen Burschen mit weißen Zähnen und einer Laute auf dem Rücken, die haben beschlossen, in dieser Nacht nicht mehr weiterzuwandern, sie haben ohnehin kein rechtes Ziel, denn dem Edelmann ist der Sinn für Ziele und für das Streben danach schon lang entglitten, ja, er hat es niemals verspürt, aber das wäre wieder eine andere Geschichte, diesmal vielleicht eine gute.

Weiter: der Mond steht hoch, beleuchtet aber nur einen kleinen Teil dieses Bettes, auf das ich mich jetzt setze, in dem oder an dessen äußerstem Ende nunmehr Anne, nackt bis auf ihren Erlöser und die Kette an der er hängt, den Bettbelag zurückschlägt, unter dem, in schwindender Unschuld, der Mann Gottes liegt, sich neben ihn auf das Bett setzt und, beginnend bei den Fußknöcheln, mit leichtem Finger an den Beinen hinauftastet, ihm so die Kutte aufwärtsstreifend wie ein Futteral, dessen Inhalt zwar keine Überraschung verspricht, dafür aber selbst überrascht wird – und Licht liegt auf Teilen des Mönches, der noch schläft, dann, als ihre Hand höher gelangt, nur halb schläft, die Gefährtin noch nicht in ihrer Bedeutung wahrnimmt, dann, in seltsamem, nie erlebtem, unerlaubtem Erwachen, sie wahrnimmt, aber nicht an sie glaubt, und diesen Unglauben bescheint der Mond, bescheint Annes versiertes Fingerspiel, nicht dagegen den Soldaten im Dunkel des Hauses, der sich, mit trockenem Gaumen und brennender Kehle, begleitet von bedauernden Blicken der Wirtin, kraftlos am Treppengeländer Arm nach Arm hinaufzieht, er scheint auch nicht mehr auf das Müllerpaar, das aus seinem Licht ins Gasthaus getreten ist, ein dickes, strotzendes Gespann, behängt und bepackt mit allerlei beweg-

lichen Gütern, gehüllt in einen Dunst von Wohlstand –, er scheint nicht auf die Wirtin, die den
Blick von dem Gegenstand ihres Verlangens zurückgezogen hat und ihn in andersgearteter Hoffnung dem eintretenden Paar entgegenwendet, deren Beutel die Mühe nächtlicher Arbeit lohnen
wird; der Mond scheint beinah senkrecht nun auf
diesen Bader, der jetzt nah ist, ein elender Ablaß-
krämer, Zur-Ader-Lasser, mit einem verschlosse-
nen Bauchladen, in der Hand einem Stoß Ablaß-
zettel und einer Klistierspritze im Sack und dem
Geschmack von Ale und Laster auf der Zunge –
auch scheint er auf das andere Paar, den Edelmann, auf sein vertanes Ansehen, seinen gesunke-
nen Wohlstand, seine verlorenen Güter, kein Pferd
zu beleuchten, wenig Gepäck, eine schlaffe Geld-
börse – keinen Besitz außer diesem Knaben mit
der Laute auf dem Rücken und anderen Eigenschaften, die der Nacht zugute kommen. Der Mond
scheint, als balle sich hier nichts Entsetzliches zusammen, auf Anne, deren Hand, als wolle sie eine
Blume tief am Stiel pflücken, das Ziel ihres Vor-
habens erreicht hat, die Mitte des Mönches, und
nunmehr, weich und träge, ein schwerer Reiter,
mit allem, was an ihr sterblich ist, sich über diese
Mitte schwingt, sich auf ihr zurechtrückt, bis sie
auf dem Dorn fest im Sattel sitzt –, auf den Mönch

scheint der Mond nicht, der liegt tief im Schatten seiner Reiterin, er ruft einmal laut »Satanas«, dann murmelt er es, Konsonanten weicher, entschwebend, dann flüstert er es nur noch vokal, dann formen seine Lippen nur noch das S, während der Mond, bald im Zenit, die Zimmerecke aber noch nicht erreicht, wo der Soldat von der Tür her sich langsam vorwärtszieht, in das dunkle Innere des Zimmers, die bewegte Helle am Ende des Bettes so wenig zur Kenntnis nimmt wie die von Lauten aufgerührte Luft. Beleuchtet vom Feuer im Herd ist jetzt die Küche, wo die Wirtin Fleisch schneidet und Kannen füllt, halbhell vom Talglicht ist die Stube, wo vor Holz und Zinn das Müllerpaar in Erwartung sitzt, hell vom Mond der Bader, der an die verriegelte Tür des Gasthauses klopft, glitzernd im Mond, an der goldenen Kette, das Kruzifix, das vor den Augen des Mönches auf und abschwingt, weiß das Fleisch seiner Besitzerin, und schwarz, in tiefer Urdunkelheit, das Glied, das den Mönch mit seiner Todsünde verbindet, hell dieser Edelmann, schon von vieler Länder Monden beschienen, seit Jahren unterwegs, seit Jahren auf der Suche – er ist ein Deutscher – nach Absolutem, das er nun bald finden wird, ich habe es ihm zubedacht, – vom Mond beschienen auch sein Begleiter, unwürdiger Gegenstand seiner Neigung, ansehnlich, mit geschwungenen Brauen, aber mit unsteten Augen, Mord im Herzen, Laute auf dem Rücken –, halbhell im Talglicht die Wirtin, die das Müllerpaar bedient, hell die Gesichter des Paares selbst, das die Krüge hebt und mit den Händen in die Teller langt –, im Mond noch der Bader, der an die Tür klopft, im Mond ein Moment lang die Wirtin, die aus dem Fenster sieht und fragt, wer dort klopfe, im Mond seine Antwort: ein Bader – ihre Antwort: sie brauche nichts, sie sei gesund – und im Mond seine Antwort, daß er nicht als Bader oder Händler oder Aderlasser oder Ablasser komme sondern als zahlender Esser und Schlafgast –, durch keine Wolke gehindert strahlt Licht auf den wachsenden Schrecken der Nacht, noch in seinem kranken Träger geborgen – dunkel dagegen das selige Vergessen des Mönches, dunkel dahinter die Schwaden seiner Gedanken, der Ahnung, daß er nun auf ewig der Gnade verlustig gehe, aber was ist schon Ewigkeit? – und von irdischen Tagen hat er ohnehin keinen einzigen mehr, die Hölle hat ihr Feuerbett für ihn gerichtet. Im Dunkel der Soldat, der unschuldige Schreckensträger, der mit verkrampften Fingern seine Stiefel und seine Kleidung löst, die Wirtin, die dem Bader öffnet, der Bader, der aus dem Mondlicht ins Haus tritt.

Aber das Furchtbare breitet sich im Hellen wie im Dunkel aus, und ahnte es, zum Beispiel, der Mönch, so würde er zu dem elfenbeinernen Erlöser beten, der da vor seinen Augen auf- und abbaumelt; aber er weiß es nicht, und selbst wenn das Furchtbare nicht nahte, so wäre es etwas anderes, ein langsameres Übel, denn die Courtisane über ihm hat die französische Krankheit, wie auch ihr ehemaliger Galan, der Herzog von Northumberland, der jetzt damit die Pächterstöchter ansteckt; er hat sie von seiner Frau, die hat sie von König Heinrich dem Dritten, und der hat sie in Frankreich selbst erworben, als sie noch selten war.

Gut so, die Stimmen sind angeschlagen, die Exposition vollzogen. Weiter jetzt. Nach Mitternacht steht der Mond im Zenit, beleuchtet daher das Bett nicht, im Dunkel daher findet der Tragödie zweiter Akt statt, im Falle des Mönches, im wahren Sinne des Wortes, der zweite Akt seines Lebens, in dem er, sich gewaltsam zum Vergessen zwingend, oder auch um seine Sünde auszuloten, über der Courtisane ist, tief in ihre kranke sündige Tiefe verstrickt, und sie unter ihrem schmächtigen Erwählten liegt, in Reue über die Wahl und in Erkenntnis, daß dies kein Geschäft sei. Im Dunkel der

Soldat, in schwindendem Bewußtsein, in der Mitte des Bettes, mit glänzenden Augen in steigendem Fieber –, im Talglicht die anderen Gäste, die unten in der Stube sitzen, als da sind: der Müller und seine Frau beim Essen. Was mag es da geben? Nun, sagen wir: gesottene Schweinskeule in Pfeffer und Hirse, mit Rhabarber, Safran und Thymian, das klingt nach fetter und schwerer Völlerei. Und natürlich Ale und Wein. Am anderen Ende der Tafel, neben seinem unwürdigen Gefährten, dem hübschen Mordbuben, starr aufrecht sitzend, die Augen ins Leere gerichtet, erwartungsvoll gefaßt, jeder Demütigung grimmig ergeben, in allen Zweifeln bestätigt, in verzweifelter Würde angesichts des geringen Wertes der Welt und der Dinge darin, vor einer großen Kanne Wein, mit deren Hilfe er hofft, den Schlaf im ungewohnten und wahrhaft wenig ersehnten gemeinschaftlichen Bett besser und trunkener ertragen zu können: der Deutsche; während sein junger Gefährte die Gemeinschaft nur insofern ersehnt, als er Gefallen an einigem Geschmeide findet, das glitzernd zwischen den Rundungen der Müllerin hängt, und dafür gern ihren Blick in Kauf nimmt, der wiederum in wachsendem und begehrendem Maße an ihm hängt. Halbdunkel die Küche, wo die Wirtin frische Kannen füllt, seitlich bedrängt von diesem Bader, der sich erbietet, sie unentgeltlich zur Ader zu lassen und anderes für sie zu tun, lasse sie ihn nur gewähren und nach Belieben an ihr hantieren. Schräg steht der Mond, als der Mönch von Anne abläßt, aus ihr rutscht und abfällt wie eine ausgehöhlte Birne, sofort in den Schlaf zu flüchten versucht, in sehnlichem Wunsch, sein weiteres sündhaftes Leben in Traum und Schlaf zu verbringen, oder aber sein Körper könne sich einen neuen Geist bauen –, schräger schon fällt Mondlicht von der anderen Seite auf das Bett, auf Anne, die sich seufzend erhebt, in Reue über nutzlos verausgabtes Wohlwollen –, Licht verläßt sie, als sie sich, tiefer im Raum, fröstelnd ein Hemd überzieht, sich ernüchtert umsieht, den Soldaten erblickt, mit den glänzenden Augen, in der Mitte des Bettes, und dessen Gegenwart kalkulierend in ihre Gedanken aufnimmt, während er selbst im Delirium ist, nicht mehr im Diesseits angesiedelt, bis auf die Schmerzen, das einzige, das ihn noch auf dieser Erde hält.

Und was hält mich auf dieser Erde?

Weiter, weiter, Transposition, neues Thema: die Kurve des Schreckens wird jetzt steil, der Mond ist schon im Untergehen, steht beinah waagerecht, scheint von der anderen Richtung her, durch ein anderes Fenster, beleuchtet das Bett seitlich aber ganz, dieses Bett, mein Bett, dessen leere Plätze nun von den Schlafengehenden belegt werden. Schlafend darin, vom unbarmherzigen Mond schräg angeleuchtet der Mönch, dem ein entsetzliches Erwachen erspart bleiben wird; wachend darin Anne, die in ihrem Hemd über den Mönch hinweggestiegen ist und sich langsam, unter Bettbelag kriechend, einen wachsenden Zwischenraum zwischen sich und ihrem Opfer schaffend, dem Soldaten nähert, bedacht darauf, ihn nicht zu wecken, bevor sie in der Lage ist, alle ihre Mittel auf einmal anzuwenden. Krank darin der Soldat, bewegungslos bis auf ein schwaches Zittern, Zähneklappern und flatternden Atem. Neu bevölkert von denen, die rings im Dunkel die äußeren Hüllen ablegen, nicht alle zugleich, dennoch ist es ein Akt mit Überschneidungen, und stumm werden die Plätze im Bett aufgeteilt. Nur einer hat über die untere Querkante zu kriechen, das ist der Müller, denn er hat Anne gesehen, ihr langes aufgelöstes Haar, zwischen Mönch und Soldat, das Versprechen eines späten Abenteuers bildet sich in ihm und zündet, er hat freiwillig das Klettern gewählt, damit er von seiner Frau um eben diesen Gegenstand seines Verlangens und um eine weitere unbestimmbare Figur, die der Soldat ist, getrennt liege, denn für zwei wäre dieser Platz im Bett zwischen Mönch und Frau zu eng. Die Müllerin indessen hat auch nicht die Absicht gehegt, diesen Platz zu belegen, sie behält den jungen Kerl im Auge, an dessen Seite sie zu liegen begehrt, in Erwartung, daß es nicht bei der Seite bleibe, und in Hoffnung, daß sein Begleiter die Möglichkeit nicht abschneide, indem er ihn, nach Art der Eifersüchtigen, an die Kante und sich selbst zwischen ihn und den nächsten Schläfer lege. Aber dies hat der Edelmann nicht im Sinn, im Gegenteil, er ist darauf bedacht, mit keinem in Berührung zu kommen als mit dem einen, mit dem er ohnehin in mehr oder weniger ständiger Berührung ist, und sich an der anderen Seite durch die Bettkante vor Berührung zu schützen. So bekommt die Müllerin ihr Teil, sie liegt zwischen dem jungen Mann und dem Soldat, den sie nicht spürt und nicht beachtet. Da liegen sie, sieben Schläfer, und sind keine Schläfer, außer dem Mann Gottes. Einer ist ein Sterbender, und die anderen warten auf den Schlaf der anderen, um jeweils einem dieser anderen zu Leibe zu rücken.

Wo ist der Bader? Der Bader, der Elende, der ist unten bei der Wirtin geblieben. Ob er ihr Schönheitssalben bereitet oder verkauft oder ihre Sünden für Ablaß ankauft oder sie zur Ader läßt oder mit ihr im Bett liegt, das habe ich mir nicht überlegt, aber wahrscheinlich tut er alles zugleich, es entsteht ein Kreislauf, ein böser Zirkel zwischen Ablaß und Sünde, lasse ich diese Szene dunkel, kehre ich zum Thema zurück, zur Haupttonart, zur möglichen Vergangenheit dieses Bettes, in dem der untergehende Mond das Fortschreiten des Entsetzlichen beleuchtet. Noch ist es im Anzug, hat noch nicht eingesetzt, noch greift der Edelmann nach dem Knaben, der Knabe nach der Müllerin, die Müllerin nach dem Knaben, der Müller nach Anne, Anne nach dem Soldaten, noch schläft der Mönch, stirbt der Soldat, unter dem Belag, unbeleuchtet vom Mond, tasten Hände, geht Atem, bewegen sich berechnend Beine, wälzen sich leise Körper, langsam schlägt es Wellen, Hügel entstehen und Täler, Bewegung, vom Mond wechselnd beleuchtet, das Bett lebt auf, zum letzten Mal, die Insassen halten jetzt den Atem an, jeder wartet vor dem letzten Griff, dem letzten Vorstoß, lauert, nur der Mönch, der lauert nicht, wartet nicht, schläft auch nicht recht, wacht auch nicht, liegt gelähmt angesichts der Hölle, die sich vor ihm auftut, – still auch der Soldat, nicht mit dem Tode kämpfend sondern sein williges Opfer, in einer glitschigen Schicht von Schweiß, mit schwellendem Gaumen, schwarzen Beulen um die Lenden, hin und wieder rasselt ein Atemzug, so daß jeder aus der Verfolgung seines Ziels aufschreckt, dann geht der Atem nicht mehr, so daß jeder sich wieder beruhigt, und Anne, mit verstreichender Zeit und schwindendem Mond, rückt näher, ist nah, ihr nach der Müller, er hält die Zeit seiner Möglichkeit trotz des von ihm abrückenden Ziels für gekommen, aber plötzlich verspürt er Müdigkeit, die auch der Deutsche spürt, ihm schwindelt, die Lust nach seinem Knaben fällt von ihm ab, er läßt von ihm ab, so daß der Knabe denkt, sein Liebhaber schlafe, und sich nun ganz der Müllerin zuwendet, geduckt über sie kriecht wie ein Raubtier in gieriger Nahrungssuche, aber er spürt seine Kräfte schwinden, und die Müllerin, auf dem Rücken liegend, im Begriff, den Knaben über sich, zwischen ihre Schenkel und in sich zu ziehen, eben noch heiß in Erwartung seines Körpers, spürt nun eine andere fiebrige Hitze, die auch Anne spürt, sie spürt Schwäche, dennoch will sie den Soldaten, will sich seiner sanft bemächtigen, sie hebt die Decke, um nach ihm zu tasten –, und der untergehende Mond scheint waagerecht auf ihr Haar, auf ihren Nacken, auf die anderen scheint er nun nicht mehr, sie liegen im Dunkel, Müller, Mönch, Müllerin und Knabe und Edelmann und Soldat, alle liegen sie nun wieder, liegen, als seien sie hingefallen, ihr Vorhaben entschwindet, Begier verebbt –, im Müller breitet sich Übelkeit aus, er läßt von dem Gegenstand seines Verlangens ab –, schlaflos der Mönch, dessen gequälter Geist plötzlich von einem schmerzenden Körper betäubt wird, die Frau des Müllers, deren Atemschwere nicht die des Verlangens sondern die der Schmerzen ist, sie läßt von dem Knaben ab, der, schwindlig, von ihr abläßt, so wie neben ihm der Deutsche sich von ihm abgewandt hat und sich zurückwälzt, der Bettkante zu, schwach alle, Wellen von Hitze und Frost schlagen über das Bett, Schmerz, Zähneklappern; Tätigkeit eingestellt, fiebriges Dämmern im Dunkeln, Apathie, rasselnder Atem und dazwischen Stille –, bis ein schriller Schrei alle trifft aber nicht mehr wachrüttelt, nicht aus dem Dämmern aufschreckt –, er kommt von Anne, der einzigen, die noch eben, halb aufrecht, in Bewegung war. Müller, Müllerin, Edelmann und Knabe richten leblose Blicke auf Anne, acht Augen treffen sich auf ihr, ohne Teilnahme, gleiten ihren Blick entlang herab zum Gegenstand ihres Entsetzens:

weiß, im untergehenden Mond, die senkrechte Säule, die das männliche Glied des Soldaten war,

Zeuge nicht des Verlangens sondern der Todes-
starre, aufrecht über einer infernalischen Landschaft brestiger, schwellender Körper, ein Kreuz
ohne Querbalken, furchtbares memento mori, über
einem Schlachtfeld, auf dem die Schlacht noch
schwelt –

und alles andere liegt in Dunkelheit. Es wird stiller, das Schluchzen der Courtisane verebbt, sie
sinkt neben dem Soldat auf das Bett, der Schrek-
ken in den Augen verglimmt, Sterbende unter
Sterbenden, in meinem Bett, und, ausgehend von
den Sieben unter dem gelüpften Belag, zieht, unter den Baldachin und von dort durch das Zimmer, in einer Wolke sich ausbreitend, die Luft ver-
giftend, die Pest in den Raum und zieht durch die
Ritzen hinaus, in die Stadt, über das Land, die
inzwischen ausgestorbene, bubonische, die schwär-
zeste, härteste, widerlichste und schnellste Variante
des schwarzen Todes, die keine Gnade kennt, dem
Opfer keine Gunst gewährt, ihm nichts schenkt,
keine Besinnung vor ihrem Schlag, auch nicht die
Ekstase einer Euphorie. Auf den letzten Schmerz
schwindet das Bewußtsein und folgt sofort die Kälte, der rigor mortis, sie erlaubt weder Beichte noch
Einsicht. Fermate. Ende der Fuge.

Aber die Geschichte ist noch nicht zu Ende. Beim Morgengrauen betritt die Wirtin den Raum, um die vermeintlichen Schläfer zu wecken. Sie weckt niemanden. Zwar schläft keiner, auch ist noch keiner tot außer dem Soldaten, sie liegen im letzten Atem, zu schwach für Bewegung oder Laut, mit angeschwollenen Leibern, fühlen sich gegenwärtig in jedem Glied, in allen Winkeln ihrer schwindenden Körperlichkeit, aber in nichts anderem mehr, sind alle gleich, alles geebnet, keine Sünde mehr, keine Hoffnung, kein Verbrechen, keine Erbschaft, keine Angst. Sie liegen tief in ihre Apathie gebettet, keiner weiß, woran er leidet oder wer er gewesen ist, bevor er zu leiden begonnen hat, und daß er bald nicht mehr zu leiden habe. Sie nehmen auch nicht mehr wahr, daß sie nun nach Strich und Faden beraubt werden, von Wirtin und Bader, nicht nur der im Raum verteilten Kleidung, sondern auch dessen was sie am Körper tragen. Wirtin und Bader heben ihnen Körper und Köpfe, um der Börsen in der Kleidung und unter den Kopfkissen habhaft zu werden, sie streifen ihnen Ringe ab, und keiner wehrt sich, Anne gibt keinen Laut von sich, öffnet nicht die Augen, als die Wirtin ihr die goldene Kette mit dem elfenbeinernen Erlöser vom Halse reißt, sie spürt weder Schmerz noch Verlust –,

nur der Mönch, der macht einen letzten jämmer-
lichen Versuch, sich zu wehren, gegen den Raub
seines Rosenkranzes, der alles ist, was er jemals
besessen hat; sein Gott, nicht der Gott der Pfaffen
sondern der Gott der Sünder, gibt ihm Kraft zu
einem letzten Protest: als der Bader die Kette der
verkrampften Hand entreißt, schreit er noch einmal laut auf – ein Schrei, stellvertretend für viele
Schreie in Jahrhunderten –, er spürt über und unter seinen Schmerzen noch die tiefe Ewigkeit seiner Verdammnis,

aber bald spürt auch er nichts mehr, und wahrscheinlich hat niemand mehr den Aufprall auf
die Kiesel des Flusses gespürt, oder die Kälte
des Wassers, als Bader und Wirtin sie, einen nach
dem anderen, in den Fluß warfen, und während
Bader mit Wirtin eine gemeinsame Zukunft
besprach, schwemmte der Fluß die Leichen abwärts, nach Süden, und während Wirtin und Bader, von der Arbeit des Morgens ermüdet, sich
wieder ins Bett legten, floß die Pest den Fluß entlang und hinab, quoll über die Ufer, wehte in
Schwaden landeinwärts und verteilte sich. Bader
und Wirtin standen nicht mehr auf, sie verfaulten
im Bett der Wirtin, die Pest griff über in die Graf-
schaften Wiltshire und Kent, dort stieß sie auf
eine andere Pest, die, auf dem Weg nordwärts, von

Süden kam, von Sussex, dorther, wo der Soldat wenige Abende zuvor gelandet war, in der ersten Nacht der Landung ein Mädchen angesteckt hatte, die ihre Familie angesteckt hatte, die das Dorf angesteckt hatte, und so weiter. Ende meiner Geschichte. Ich stehe auf.

In diesem Bett liege ich in den Sommernächten, schlafe ich wenn ich schlafen kann, und wenn sich nur wenig von diesen letzten unglücklichen Schläfern mir einverleibt hat, so liegt es daran, daß sie – vielleicht – niemals existiert haben. Schade. Hätten sie gelebt, so hätte sich mir – vielleicht – etwas mitgeteilt, vielleicht etwas, aus dem ich hätte lernen können, wenn ich lernen könnte; nichts von dem jungen Mörder mit der Laute, auch nichts von dem Soldaten, obgleich in seiner Unschuld ein positiver Held, aber er lebte nur noch halb, als er sich hier niederlegte, nichts von denen also –,
aber von solch einer wie Anne, einer Dirne, die unverzagt, mißbraucht und gefaßt ihrem sicheren Verderben entgegengeht, ohne Aufbegehr, ohne Anklage, denn sie kennt und respektiert mit Gleichmut die Ordnung dieser Welt –
und von diesem ungewöhnlichen Deutschen, aller Güter verlustig, tief im Zweifel an der Rechtmäßigkeit des Gesetzes, nach dem er angetreten, auf

der Suche nach etwas, das er nicht kennt, etwas das man erst erkennt, wenn man es gefunden hat, aber niemand findet es bevor es zu spät ist, daraus zu gewinnen,

und von diesem Mönch, dem stillen, ergebenen Wandler, erst in seiner Todesstunde auf der Erde heimisch, allzuheimisch, aber nicht so heimisch, daß er dafür seine Erlösung geopfert hätte –

etwas von diesen, ja – vielleicht ein wenig nur, – und jetzt werde ich müde, jetzt werde ich hinuntergehen, in mein Winterbett, jetzt werde ich schlafen.

Zuerst den Wein holen. Das Verlangen wächst. Ich verlasse das Zimmer, schließe die Tür, gehe durch das Treppenhaus, da steht es schon wieder, das Gespenst, vielleicht angelockt von meiner Geschichte, in Erwartung irgendeiner Einsicht, aber ich beachte es nicht, ich gehe an seinem Blick vorbei, die Treppe hinab.

Ich betrete die Küche, sie ist hoch und hölzern von unpoliertem, ungebeiztem Holz, naturfarben und naturdunkelnd, mit der Zeit gealtert, so daß ich mich immer in ihr verjünge, sie hat karierte Vorhänge, ist eine Kindheitsküche, es stehen noch irdene Mehlfässer, Zuckerfässer in den Regalen, und

Kräuterbüchsen, an deren Boden noch Reste, vergangener Aromata hängen, Tripmadam und Estragon, Koriander, alles zu eins geworden: Gewürz. An den Wänden hängen unhandliche Kessel und Pfannen aus Kupfer und Messing und Eisen, der Art wie kein Mensch sie mehr benutzt, außer Celestina.

Sie bedient sich dieser Geräte selbstverständlich und hartnäckig. Früher, aber schon seit langem nicht mehr, habe ich ihr öfters Ersatz mitgebracht, verchromt und verstellbar und glänzend, zweckmäßige, zeitsparende Patente, deren Potenz ablesbar war, Gefäße, in denen was früher Stunden dauerte, nur noch Minuten dauert, aber Celestina hat das Zeug nicht einmal angerührt, kaum zur Kenntnis genommen, und heute sehe ich natürlich ein, daß sie recht hatte. Denn was sollte sie mit der ersparten Zeit tun? Beten? Trinken? An den Verlust ihres Himmels denken, sich ihre ewige Verdammnis ausmalen, in ihren Stufen und Graden? Nein, es ist besser so, besser, daß sie sich mit unhandlichen Dingen beschäftige, als daß sie sich nichtstuend vom Tun ablenke. Es war Vernunft in ihr, wenn sie mit einem unhörbaren Seufzer sanfter Verachtung alles beiseite schob, was anderen das Leben erleichtert, sie kann nur brauchen, was das Leben erschwert, ablenkende Fron und erlösende Härte und ein langes Leben, um sich diese Erlösung zusammenzusparen, in kleinster Münze. Sie hat Angst, daß ihr Leben zu kurz sein könne, daß sie nicht genug von seiner langen zunehmenden Schwere erfahre.

So stand sie denn hin und wieder neben mir, übergab mir stumm einen Zeitungsausschnitt, den ich in ihrer Gegenwart lesen mußte, auf dem stand, daß diese Hausfrau in Lüneburg oder jene Hausfrau in Cremona bei der Arbeit mit einem zeitsparenden Gerät in die Luft geflogen sei und sich schwere oder gar unheilbare Verletzungen zugezogen habe. Ich tat, als lese ich diese Zeitungsausschnitte durch, ernsthaft, in mich gehend, kopfschüttelnd, während Celestina hinter mir stand, ich wagte kaum, mich umzuwenden, ich wollte dem Vorwurf in ihren Augen entgehen, dem Vorwurf, daß ich ein Mörder sei, der sich ihrer mit Hilfe einer böse ausgeklügelten Falle entledigen wolle. Dennoch, dies waren die Augenblicke, in denen unsere gegenseitige Anhänglichkeit begann, ausgehend von beiden Teilen gleichzeitig, Vorwurf auf der einen, Einsicht auf der anderen Seite, unsere Loyalitäten tasteten sich gegeneinander vorwärts, Zugehörigkeit entstand, schmiedete sich ineinander, unzertrennlich aber noch uneingestanden –, stumm gab ich ihr dann den Ausschnitt zurück und schien zunächst geheilt, bis ich irgendwo wieder auf einen Gegenstand stieß, dessen Vorteile mir einleuchteten, und alles begann noch einmal. Aber schließlich schaffte ich nichts mehr an, allmählich, spät genug, wurde ich mir der Sinnlosigkeit bewußt, Celestina ändern, sie zu irgend etwas Außergöttlichem bekehren zu wollen und sie damit, stärker als zuvor, dem Beten und dem Trinken zu überlassen, den beiden Tätigkeiten, von denen eine sinnlos ist. Dazu kam ja auch, daß ich mich über ihre Küche nicht beklagen konnte, ganz im Gegenteil, sie kocht vorzüglich, ich weiß nicht, wo sie es gelernt hat, es ist eines ihrer Geheimnisse. Eines Nachts dann, als ich mir einen Korkenzieher oder einen Büchsenöffner aus einer Küchenschublade holen wollte, fand ich darin ein Schreibheft, in das sie alle die Zeitungsausschnitte eingeklebt hatte: ein Sündenregister, ein vollständiges Zeugnis gegen mich bei der endgültigen Abrechnung. Ich ließ es liegen, und wenig später war es verschwunden. Ich denke, sie hat es vernichtet, in Scham ihrer selbst und ihres Argwohns, und ich bin beinah sicher, nein, ich bin ganz sicher, daß sie sich heute nicht mehr daran erinnert.

Ich betrete also die Küche. Ich mache das Licht nicht an. Auf dem Küchentisch brennt eine Kerze. Sie erleuchtet den Raum nicht, macht aber seine Gegenstände erkenntlich und wirft eckig umrissene dunkle Flächen an die Wände. Beiderseits der Kerze, an den Breitseiten des Tisches stehen Weingläser. Das eine Glas ist voll, das andere halbvoll, halbleer. Hinter diesem sitzt Celestina, hinter dem anderen sitzt niemand, hier wird wohl jemand erwartet, der Stuhl ist vom Tisch abgerückt, ein wenig nur. Aber ich bin es nicht, der erwartet wurde, das entnehme ich dem Blick, den Celestina von dem leeren Platz abwendet und mir zuwirft. Er drückt keinen Schreck aus, auch keine Überraschung, ich kann diesen Blick noch nicht deuten, die Szene ist noch nicht klar, das stumme Geschehen noch nicht enthüllt, dazu kommt, daß Celestinas Blicke einander immer ähnlicher werden, die Skala wird enger, das Rätsel also, für wen das zweite Glas, der abgerückte Stuhl sei, löst sich noch nicht. Gut so. Ich lasse mich gern von der Nacht und ihrem Programm unerwartet vor ein Rätsel stellen, dies ist meine Situation, hier spiele ich meine Rolle, hier kann ich noch einmal einhaken,

ich war schläfrig zuvor, hatte noch nicht oder kaum geschlafen, aber nach dieser Szene, was immer sie darstelle, wie immer sie gemeint sei, wenn dieses Bild erlischt, die Handlung sich vollzogen hat, die sich hier und jetzt aufbaut, sich ballt und zuspitzt, werde ich schlafen, das weiß ich. Jetzt bin ich hellwach, ich bin gespannt; was sich an Schlaf in mir schon angespeichert hat, schwindet aus mir, die Erinnerung ist gelöscht, alles entschwunden,

außer Tynset. Tynset läßt sich nicht verdrängen, es steht immer noch da, im Hintergrund, steht sogar plötzlich in einer besonderen Klarheit da, in einer zunehmenden grauen Dürre eines späten Herbstes. Ich genieße diese Sicht dort hinten, wo nichts sich bewegt, kein Baum, kein Schatten zwischen den Häusern,

aber vorn nimmt mich etwas anderes gefangen, es sind Celestina und die beiden Gläser Wein, ihr Blick, der mich hält, während ich zum Tisch gehe, den Stuhl heranrücke und mich ihr stumm gegenübersetze, hinter das volle Glas Wein. Ich verspüre große Lust nach dem Wein, aber ich warte. Celestina tut nichts, sie sagt nichts, sie sieht mich an, stumm, ohne irgendein Zeichen von Erstaunen, nicht mit glasigen Augen, auch nicht starr, sie sieht auf mich, wie sie auf den leeren Platz gesehen hat, bevor ich eintrat. Sie macht nicht Miene, als wolle sie irgend etwas sagen, vielmehr sieht sie aus, als habe sie schon alles gesagt, als warte sie jetzt auf Antwort von ihrem Gegenüber. Ich stelle fest, daß ich nicht auf diesen Platz gehöre, daß ein anderer erwartet war – nein, nicht erwartet war, sondern hier schon saß, unsichtbar, bevor ich kam. Ich störe also? Nein, ich störe nicht, Celestina scheint diesen anderen auch noch in mir zu sehen, der andere und ich sind zu eins geworden, wer auf diesem Platz sitzt, ist der andere. Celestina sieht mich an, ihre Augen sind nicht leblos oder erloschen, sie wartet. Während ich das Glas hebe und endlich trinke und diesen ersten Schluck Rotwein am Tage genieße, folgt sie meiner Bewegung, folgt meinem Schluck, als erwarte sie etwas, vielleicht einen Trinkspruch. Sie beobachtet mich, sie hängt an mir.

Ich werde unsicher. Es gilt vieles zu überspielen, schon mein Eintritt hat mich auf schwieriges Gebiet geführt, vielleicht hätte ich die Küche nicht betreten sollen, aber nun habe ich es getan, es ist zu spät, ich bin in eine unwillkommene Verwicklung geraten, und jetzt kann ich nicht wieder zurück. Ich erzeuge künstliches Frösteln, gleichsam das Gegenteil eines Händereibens, und sage: »Es ist kalt geworden.«

»Ja«, sagt Celestina ohne Eifer, sie nickt mit dem Kopf wie eine willige Schülerin, der ein solcher Gegenstand zu leicht ist, die Härteres erwartet, »ja, es ist kalt geworden.« Ihre Artikulation ist weich und verwischt, sie ist betrunkener als es zuerst den Anschein hatte. »Es wird Winter«, sage ich. Sie sagt nichts, ich sage: »Ein früher Winter.« »Ja ja, ein früher Winter«, sagt sie, und plötzlich horcht sie in sich hinein, sie prüft, ob es wahr ist, was sie da sagt, was ich da sage. Sie wiederholt: »Ein früher Winter«, es hat also gestimmt, man kann es sagen, ich habe recht gehabt, sie bestätigt es nickend, wie man etwas einem Kind bestätigt, und einen Augenblick lang ist sie Kinderfrau,

und nun überlege auch ich mir, ob es stimmt. Ja, es stimmt, selbst in der Küche breitet sich früher Winter aus, und mehr noch: wie jeder frühe Winter ist auch dieser eine Reprise des ersten erlebten frühen Winters, als es noch Kinderfrauen gab und Schlitten und Muffs und Mottenkugeln.

»Ja«, sagt Celestina nun und nickt und räumt dieses Thema beiseite, »aber dein Wille geschehe.«
Ich warte, starr, bis der Schlag vorbei und die Silben dieses Satzes verklungen sind. Dann sehe ich sie an, ich möchte prüfen, wie das gemeint ist, obgleich ich es schon weiß, das Wissen steigt langsam in mir

auf. Es setzt sich und sitzt, als Schreck, als Schock in den Beinen, die es lähmt.

Ich sage: »Ich verstehe nicht recht, was Sie meinen, Celestina«, obgleich ich genau verstehe, was sie meint, die Worte kommen holprig und verquer, zitternd, sie sind lächerlich, ich bin nicht in dem Aufzug, um das sagen zu können, im Nachthemd, im Morgenrock, ich versuche es anders, ich sage: »Es ist nicht mein Wille, daß es in diesem Jahr früher Winter wird als in anderen Jahren, bestimmt nicht!« Im Gegenteil, denke ich,

im Gegenteil, ich wollte noch nach Tynset fahren, Tynset, das liegt plötzlich wieder sehr weit weg, unerreichbar, unnahbar.

Auf was lasse ich mich hier ein? Ich hebe mein Glas, als wolle ich ihr zutrinken, auch das ist falsch, denn was hier gesagt wird, ist kein Trinkgespräch, was hier geschieht, kein Scherz. Ich trinke mein Glas leer. Ich muß sagen, dieser Rotwein schmeckt gut, das erste Glas am Tag schmeckt am besten, auch wenn der Trinktag so früh anfängt wie jetzt hier, in dieser Küche, gegenüber Celestina. Ich greife nach der Flasche, sie steht unter dem Tisch, ich weiß nicht, warum Celestina sie dorthin gestellt hat. Ich schenke mir das Glas wieder voll, schenke auch Celestina das Glas voll. Meine Hand zittert, aber das sieht Celestina nicht, Gottes Hand zittert nicht. Sie hebt das Glas, trinkt, setzt ab, stellt es hin und sagt: »Vergib mir meine Sünden.«

Das ist ungeheuerlich.»Sehr gern«, sage ich freundlich aber streng, ich deute meinen Unwillen an, dieses Spiel weiterzuspielen, dabei ist es wahrhaftig alles andere als ein Spiel. »Sehr gern, Celestina, aber von Sünden kann doch gar keine Rede sein, hören Sie? Keine Rede, wirklich. Sie haben keine Sünde, Celestina, keine einzige, soweit ich weiß. Allerdings erscheint es mir möglich – ich meine, ich halte es nicht für ausgeschlossen, daß Sie vielleicht ein wenig zu viel trinken, vielleicht sollten Sie weniger trinken, vielleicht –« und ich stelle fest, daß ich vielleicht lüge, vielleicht sollte sie nicht weniger trinken, vielleicht sollte, im Gegenteil, ich mehr trinken, vielleicht so viel wie Celestina, aber es ist zu spät, das zu sagen, ich kann, was ich gesagt habe, nicht zurücknehmen.

Sie sagt: »Ich weiß, daß du barmherzig bist.«

Nein, mit Vernunft ist hier nichts auszurichten, sie hält mich für ihren Gott und ihren Gott für barmherzig, auf all dies war ich nicht vorbereitet. Ich sehe mich um. Was soll ich jetzt tun, was tue ich als nächstes?

»Segne mich!« sagt sie.

Jetzt, jetzt ist es an dem. Ich muß jetzt handeln, auf irgendeine Art. Sie segnen. Wie segnet man einen Menschen? Gewiß, ich habe es ja gesehen, damals in Rosenheim, damals bei diesem Kardinal. Aber diese heilige Gestik beherrsche ich nicht, ich bringe dieses Zeichen nicht fertig, und selbst wenn ich es fertigbrächte, so wäre mir Celestina zu gut für diesen billigen Dreh.

»Segne mich«, sagt Celestina. Gewiß, sie ist betrunken, aber sie ist wach, beseelt, beherrscht von dem Wunsch, gesegnet zu werden, ich sehe mich in der Küche um, ich sehe auf die Küchenuhr, die tickt, es ist zwei, jetzt schlägt es zwei. Ich sehe auf das Thermometer an der Wand gegenüber, es zeigt Reaumur, glaube ich, vielleicht auch Fahrenheit, aber ich kann nicht sehen, wieviel Grad. Ich sehe auf zwei kupferne Pfannen, die eine ist sehr groß, die andere ist noch größer, sie hängen an eisernen Haken, sie haben schon immer dagehangen, ich sehe einen kleinen blauen Fleck an der Wand, der ist neu, wie kommt ein blauer Fleck an die Wand?

Und nun muß ich zurück zu Celestina, ich wende mich ihr zu, sehe sie an, sie sieht mich an, nun unruhig, es bereitet sich etwas vor in ihr, jetzt steht sie auf, nein, sie steht nicht auf, sie rutscht langsam vom Stuhl, als rutsche sie in die Knie, aber sie erhebt sich, taumelnd, trunken, ihr Morgenrock – oder was es ist, das sie trägt – verfängt sich in der Stuhllehne, und während sie um die Tischecke geht, zieht er den Stuhl langsam nach vorn, gegen den Tisch, der Stuhl verliert das Gleichgewicht und fällt polternd gegen den Tisch, dann stürzt er um, aber der Morgenrock zieht nun über die Tischplatte, Celestina bewegt sich mir zu, um die andere Tischecke, wie kommt ein blauer Fleck an die Wand, der Morgenrock wischt die Tischplatte, Celestina steht schon wankend vor mir, der Morgenrock wischt und zieht ihr Weinglas mit sich, es fällt um, die kupfernen Pfannen hängen schon lange da, es ist eine Minute nach zwei, Wein ergießt sich rosa über den Tisch und wird vom Morgenrock aufgesogen, er färbt sich rot, vorher war er farblos, grau, in Tynset ist es jetzt grau, der Morgenrock zieht sich naß, wellig, faltig wie ein getränktes, ein vollgesogenes Tischtuch schräg über die Tischplatte, nein, über einen Teil der Tischplatte, Celestina hat nur noch seine Ärmel an, die sich an den Schultern hochkrempeln, sie ist jetzt im Nachthemd, das Glas rollt über den Tisch, fällt gegen den umgekippten Stuhl und zerschellt klimpernd am Fußboden, Celestina ist jetzt vor mir, eine schwere trunkene Masse von Körper in faltigem Weiß, sie fällt in die Knie, es ist zwei Minuten

nach zwei, in die Knie, sie rutscht mir auf den
Knien entgegen, ich sehe sie an, ich denke an diese
Knie, ich fürchte für sie, wegen der Scherben, ich
spüre schmerzhaft die Glassplitter in ihren Knien,
als seien es die meinen, aber sie liegen an der anderen Seite des Tisches, dennoch, ich lockere mein
Fußgelenk und mache eine schnellende fegende
Bewegung mit meinem rechten Bein, um den Fußboden zu kehren, auf dem Celestina nun gleich vor
mir knien wird, sie kommt schon näher, rutschend,
seltsam, dieser blaue Fleck an der Wand, wie kommt
er dorthin, da hängen die beiden Pfannen, es ist
noch immer zwei Minuten nach zwei, die Uhr tickt
langsamer – ist es Reaumur oder Fahrenheit,
dort drüben? Ich will den Rotwein nicht vergessen,
nachher, später, wenn dies alles vorbei ist, und Celestina sinkt an mir herab, sie umschlingt meine
Knie mit ihren Armen, ich spüre ihren Körper
schwer und warm und weich an meinen Unter-
schenkeln, die Brüste einer Büßerin, nicht einer
Verführerin, und in diesem Augenblick, es ist zwei-
einhalb Minuten nach zwei, bleibt die Uhr stehen,
sie hat aufgehört zu ticken, die Luft in der Küche
ist aufgerührt, der Raum ist um diesen Verlust
lauter geworden, ich spüre jetzt seine Dumpfheit,
weingetränkt, körperwarm, ich sehe den blauen
Fleck an der Wand, spüre Celestinas heißen Atem

an meinen Knien, sie hebt den Kopf zu mir, ihre
Augen sind naß, sind voller Tränen –

– was geschieht hier? Ein furchtbarer Irrtum, stellvertretend für andere Irrtümer, deren Zeuge ich
war und deren Zeuge ich nicht war –

– ich denke zum Beispiel an diese beiden links und
rechts vom Kreuz. Wer waren die eigentlich? Waren das nicht vielleicht auch Religionsstifter? Verbrecher seien sie gewesen, nun gut. Aber in wessen
Augen denn? Wie? In den Augen derer, für die
auch Jesus ein Verbrecher war, oder nicht? Oder
etwa nicht? Was sind das für Maßstäbe? Irrtum,
Willkür, Verbrechen, Verblendung, von Anfang an,

Verblendung. Celestina lallt, sie ist plötzlich trunkener geworden, vielleicht kommt Wahn dazu, sie
lallt, ich solle sie segnen, jetzt segnen. Jetzt werde
ich handeln. Es ist nicht lange erträglich, für Gott
gehalten zu werden, vielleicht für andere, für Kar-
dinäle vielleicht, für mich nicht. Ich halte es nicht
lange aus.
Aber ich kann mich dieses Zeremoniells nicht mehr
entsinnen. Wie war sie noch, diese Bewegung, die
sie da alle mit lockerer, schlanker, scheinbar sparsamer Routine vollführen? Vergessen wie einen Ta-
schenspielertrick – Hand oben, Hand hier, Hand

rechts, links, umgedreht, weg – wie machen sie das nur, die Geistlichen, diese sanfte, weiche Hände-gymnastik, auf die der Patient wartet, die ihn be-ruhigt, befriedigt, tröstet, zuversichtlich macht, wie war sie nur? Hier könnte ich sie anwenden, dieses arme Opfer hier ist im Zustand der Emp-fänglichkeit, es ist im Wahn, in Trance, wenn nicht gar in Verzückung, hier, jetzt wäre die große Täu-schung am Platz, sie könnte heilen –

Jetzt – jetzt wäre der Augenblick gekommen, um Celestinas Geheimnis zu erfahren, hier habe ich sie vor mir, unter mir, halbnackt, sie könnte mir nichts verheimlichen,
aber ich werde das Geheimnis nicht erfahren, ich nicht, ich bin kein Frager, kein Nutzer des Augen-blicks, keiner dieser Inquisitoren, die ihr Opfer ent-blößt an die Wand stellen, an den Pranger, und es so lange befragen, bis die Fragen ihm im Körper stecken bleiben, wie die Pfeile im Rumpf des heili-gen Sebastian, ich bin kein Beichtvater, der seine Beichttochter ins Fleisch kneift, um zu erspüren, wo sie denn sitzt, die Todsünde. Ich bin kein hei-liger Moralist, wie dieser Doktor Liguori, der ihr unter das Hemd greift und seine Finger zwischen ihre Schenkel steckt, um ihre Öffnung nach einer Unkeuschheit abzutasten –, nein,

da kniet sie vor mir, zu meinen Füßen, ich muß sie
behüten, sie beschützen, damit keiner von diesen
Kerlen sich ihr unzüchtig nähere, sie würde alles
mit sich geschehen lassen, alles in Hoffnung, ihrer
Sünden ledig zu werden, der Sünden, die sie nicht
hat.

Jetzt stelle ich fest: ich will ihr Geheimnis auch gar
nicht mehr wissen, es interessiert mich nicht mehr.
Was sollte ich damit?

Und ich will sie ihrer Sünde auch nicht berauben.
Da stände sie denn, noch nackter als zuvor, leer, zu
alt, um sich Ersatz für ihre große Bürde zu schaffen, die ihr Leben war. Sie soll bleiben, wie sie ist,
eine selbsternannte Sünderin, eine Heilige.

Weg von hier!

»Segne mich!«

Ich erinnere mich der Geste nicht, ich habe sie nicht
gelernt, ich wußte ja nicht, daß ich sie einmal anwenden könne. Ich muß sie durch etwas anderes
ersetzen. Ich neige mich zu Celestina herab, nehme
ihren Kopf zwischen meine beiden Hände, ich küsse ihre feuchte Stirn, streiche ihr über das Haar
und murmle: »Ich segne dich, mein Kind.« – oder
hätte ich »meine Tochter« sagen sollen?

Nichts hätte ich sagen sollen. Zumindest das nicht,
und ich hätte auch nichts tun sollen, nicht das

jedenfalls, was ich getan habe. Celestina hat mich erkannt, meine Stimme war nicht die Stimme Gottes, der Kuß nicht der Kuß Gottes, und meine Worte nicht die seinen, noch nicht einmal die eines rechten Priesters. Ich habe sie nur noch tiefer zurückgestoßen, jetzt bin ich ein Sünder, oder vielmehr, ein Sünder war ich auch zuvor, jetzt bin ich verdammt, das war ich zuvor vielleicht noch nicht. Celestina sieht mich an, ihre Augen haben keinen Ausdruck, sind nun leer. Sie steht auf. Sie ist plötzlich nüchtern. Sie fährt sich mit der Hand ein paarmal durch das Haar und über die Knie, sieht sich in der Küche um, als wisse sie nicht, wo sie mit ihrer Arbeit anfangen solle, sie sieht meine leere Flasche auf der Anrichte, öffnet den Schrank, entnimmt ihm eine volle Rotweinflasche und stellt sie vorsichtig, damit sie nicht geschüttelt werde, vor mir auf den Tisch.

Ich bin abgefertigt, ich kann gehen, ich bin ein Sünder, vielleicht verdammt, vielleicht schlechter als zuvor, aber auch der Verdammte hat ein Recht auf Rotwein; Celestina meint, es sei nicht an ihr, mich zu strafen, wir beide werden, Hand in Hand, zum Gericht antreten, am Ende einer Zukunft, die vielleicht gar nicht lang sein wird.

Und dann bin ich für sie nicht mehr anwesend, bin Luft in der dumpfen Küchenluft. Sie hängt den nassen Morgenrock an einen Haken, er tropft ab auf den Fußboden, sie holt einen Lappen, näßt ihn unter dem Wasserhahn an, wringt ihn aus, wischt damit den Tisch sauber, sie holt einen Handbesen und eine Schaufel, um die Scherben vom Boden zu kehren, sie ist Celestina bei der Arbeit, Celestina nüchtern, Celestina in den besten Stunden ihres Tages.

Ich nehme meine Flasche, stehe auf und sage: »Gute Nacht, Celestina«, nicht anders als ich es gestern abend gesagt habe. Ich gehe, schließe die Küchentür hinter mir, ich bin nicht mehr Gott, bin alles andere als Gott, ich bin ein nächtlicher Wandler in einem einsamen Haus.

Kaum habe ich die Küche hinter mir, erlischt meine Taschenlampe. Ich stehe im kalten Hausflur, auf den kalten Steinen im Dunklen, ich fühle mich versteinert. Ich schließe die Augen einen Augenblick, öffne sie dann wieder, und nun ist es ein wenig heller, ich nehme ein paar Umrisse auf, ein paar Flächen, durch das Oberlicht über dem Dachboden dringt ein wenig Helligkeit ins Treppenhaus. Der Morgen kann es noch nicht sein, es ist zwei Uhr nachts im November, ich denke, daß jetzt vielleicht ein blasser Herbstmond scheint, halb vielleicht oder viertel, kein sommerlicher Mond jedenfalls, keiner, der über Bergamo scheint und einen weißen torkelnden Pierrot beleuchtet, mit einer Tartsche und seinem großen, grinsenden Mund und seinen gespenstischen Späßen. Nein, hier bin ich in einem Verlies, in den Eingeweiden des Schlosses von Helsingör, der Geist des Königs steht droben, bald wird ihn das Hähnekrähen verscheuchen, oder Celestina wird ihn für einen Fürsten der Hölle halten und ihn verjagen.

Im Dunkeln taste ich mich zurück, schwankend, meinem Bett entgegen. Licht einzuschalten wäre sinnlos, ich hätte es nur hinter mir, der einzige Lichtschalter jedes Raumes, den ich zu durchqueren habe, befindet sich, von hier aus gesehen, an der anderen Seite, am Ausgang, also auf der richtigen Seite, wenn ich den Weg von meinem Bett aus beginne. Denn oft, nicht immer, wenn ich nachts aufstehe, will ich Licht im Haus, ich drehe meine Nachttischlampe an, mache großes Licht im Schlafzimmer, öffne die Tür zum leeren Zimmer, beleuchte hier meine Durchquerung, finde an der Tür zur Bibliothek den nächsten Schalter, erhelle die Bibliothek und die Bücherwände, drehe jenseits der Bibliothek das Licht im Hausflur an, gehe von

hier weiter, immer im Licht, einen wachsenden
Schweif von Helligkeit hinter mir herziehend, ich
schreite in großem leuchtenden Gefolge, bin auf-
spürbar, jeder kann mich finden, bis ich zu meinem Bett zurückkehre und die Schlange von Licht,
Glied nach Glied, ruckweise erlischt, bis wieder
Dunkelheit herrscht und ich wieder unauffindbar
liege –

manchmal aber, heute nacht, will ich nur meine
Schritte beleuchten, will Dunkelheit um den Kreis,
den ich vor mir hertrage, ich will keine Eskorte,
will mich den Dingen am Weg nicht sogleich zu erkennen geben, will sie überraschen,

aber da erlischt nun die Taschenlampe, vielleicht geben die Dinge sich jetzt zu erkennen, gegenseitig,
aber ohne Licht kann ich sie nicht erkennen, jetzt
lachen sie mich vielleicht aus, ich taste mich im
knisternden Dunkel vorwärts, bedacht darauf,
nicht betastet zu werden, da ich den Taster nicht
erkennen würde,

so spüre ich mir meinen Weg zurück ins Schlafzimmer, ich öffne die Tür, die Nachttischlampe
brennt, sie beleuchtet den Block, auf dem TYNSET
steht, ich krieche ins Bett zurück, decke mich zu,
nehme den Block zur Hand,

da steht es, TYNSET, und der Name droht unter wuchernder Dekoration zuzuwachsen. Ja, ich wollte nach Tynset fahren. Ich hätte immer noch Lust. Lust ja, aber dem Entschluß war ich in dieser Nacht, am Anfang der Nacht, schon näher als ich es jetzt bin. Schließlich ist es spät im Herbst, und in Tynset mag sehr wohl schon Winter sein. Noch nicht einmal ein besonders früher Winter für Tynset.

Winter in Tynset? Auf einer Nebenstation, in einem Gasthof mit vielleicht zwölf oder zwanzig Betten aus Eisen, ohne fließendes Wasser in den Zimmern, mit irdenen Wasserkrügen auf weißgestrichenen Gestellen, in denen bei offenen Fenstern das Wasser nachts gefriert. Hier ist es Winter, eine kalte aber klare Zeit unter einem funkelnden Himmel. Zum Fest der sieben heiligen Schläfer liegt eine Schwade von eisig trübem Hauch über den Kartoffeläckern, zu Allerseelen trägt man die knappen Sünden des Sommers in die Kirche – keine schnörklige Sünderkirche sondern ein mürrischer puritanischer Schuppen –, und es riecht nach nassem Fell, nassem Holz, nassem Leder, ein Choral scheucht Schwärme von Winterkrähen auf –

Tynset – ich würde hinfahren, hätte mich die Erfahrung nicht gelehrt, daß das Nächstliegende niemals das beste ist. Zudem ist es ja das unbekannte Tynset, das von mir Besitz ergriffen hat.

Wer weiß, ob das Tynset der Wirklichkeit – was sage ich: Wirklichkeit? – ich meine: ob das Tynset aus Material, aus Stein und Holz und Fleisch und Blut und Tat und Gedanke, ob dieses Tynset nicht vor meinen Augen entschwindet oder in sich zusammensinkt wie eine fata morgana, wenn ich mich ihm nähere. Und dann stehe ich da, furchtbar getäuscht, und meine Gedanken besäßen wieder eine Freiheit, die ihnen jetzt nicht mehr erwünscht wäre, denn sie haben sich ihrer entwöhnt. Sie schweifen nicht mehr, sie sind stehengeblieben, bei Tynset.

Doch, ich sollte – ich werde hinfahren, und sei es auch Winter. Tynset, das klingt nach Winter, es klingt wie die Schellen eines Schlittens von irgendwoher, weist eine Spur irgendwohin, die ich ohne jegliche Bindung in anderen Richtungen betrete, damit sie mich in irgendeine Richtung führe, und sei es auch nur an einen Ort, an dem es nichts zu finden sondern nur wieder etwas zu suchen gibt, und sei es auch nichts Besseres als eine Gabelung zweier oder ein Kreuzungspunkt mehrerer Spuren, Schauplatz eines Dilemmas, eine Stätte der Wahl zwischen zwei oder vielen Möglichkeiten. Es wäre sogar ein willkommenes Dilemma. Denn ich würde, absichtlich langsam, mit pedantischer Sorgfalt, eine Spur aussuchen, die ein Ziel verspricht, würde sie mit Zuversicht begehen, und während ich sie begehe, würde ich die Möglichkeit, daß ich sie verliere, gelassen im Auge behalten, ruhend im Wissen, daß ich andere Spuren und damit andere Möglichkeiten am Kreuzungspunkt zurückgelassen habe, zu denen ich jederzeit zurückkehren, deren hier angezeigte Gabelungen und Verzweigungen ich jederzeit begehen könne, sollte diese Spur sich verlaufen oder ich sie verlieren. Dies allerdings nur unter der Voraussetzung, daß mir noch Zeit bleibt: eine Bedingung, die in meine Pläne einzubeziehen ich mir angewöhnt habe.

Aber ich spreche von Plänen. Ich habe keine Pläne, ich habe nur einen ungereiften Plan, der heißt Tynset, Tynset, der einzige Ort, für den ich mein Haus verlassen würde, und mein Bett, mein Winterbett, das weiße Reich, das würde ich nur schweren Herzens verlassen.

Hier liege ich, in einer kalten Novembernacht, in diesem Bett, auf dem, in einer anderen Novembernacht, ein Mord geschah –

in diesem Bett, in dem, zehn Jahre nach dem Mord, der Mörder lag, zum Tatort ins Tatbett zurückgekehrt, außer Gefahr der Verfolgung, sein Rang bewahrte ihn davor,

dem Bett, in dem der Mörder liegt, Don Carlo Gesualdo, Fürst von Venosa, in seinen letzten Jahren,
unruhig, Schlaf abstoßend, gelöst von den Dingen
seines Lebens, den Leidenschaften und den Spiel-
arten der Liebe, von allem abgewandt, auch von
seiner Sünde, unwillig, unbefriedigt, mit einem
halben Blick seinem Gott zugewandt,

in diesem Bett, in dem der Mörder liegt, Don Carlo Gesualdo, in seinen letzten Nächten, ganz seinem Gott zugewandt, in Verlangen nach Vergebung,

in dem der Mörder liegt, Carlo, in seiner letzten
Nacht, in sehnlicher, vergeblicher Erwartung eines Wortes von seinem Schöpfer –

– ich sage nicht, daß sein Schöpfer dieses Wort hätte sagen sollen, nein, das sage ich nicht –

in diesem Bett, in dem der göttliche Gesualdo liegt,
in seiner letzten Stunde, entschwebt, fremd gegenüber der Welt, gegenüber allem, auch seinem
Schöpfer, allein,

liegt, in seiner letzten Stunde, die unsteten schwarzen Augen in seinem El-Greco-Kopf nicht erloschen sondern tief in den Raum gerichtet, der
Raum von einer Fackel nicht erhellt, eher ver-
dunkelt mit einer schweigenden samtenen Dunkelheit, heraldisch eingefaßt, einer fürstlichen
feudalen Dunkelheit, wie die Armen sie nicht ken-

nen, Wappen über dem Türrahmen, eine Hellebarde diagonal im Türrahmen hinter der Tür, abgestellt von einem Wächter, der draußen unter
dieser Tür auf dem Fußboden schläft,
liegt und horcht,
und hinter ihm liegt, aber nicht wie in der Harmonie eines friedlich gedunkelten niederländischen
Stillebens, sondern störrisch, mit jähem Unwillen,
letztem Mißklang abgelegt und verletzt, durchstoßen, Bauch nach oben, Griffbrett nach unten, Spiel-
brett seiner erregten, gefährlichen Finger, der
Seismographen seiner Grausamkeit, der Diener
seines unberechenbaren Willens, seiner Launen –
seine Laute,
und in einem anderen Raum, seit Jahren nicht
mehr betreten, liegt, seit Jahren nicht mehr benutzt, mit gelockerter Sehne, Instrument seiner
wilden ziellosen Jagd, seine Armbrust,
unter der Erde bei Gesù Nuovo liegen, in lang ge-
stilltem Verlangen nach körperlicher Vereinigung,
gestreckt als Skelette, nun einander ähnlich, seine
nymphomanische erste Gemahlin und ihr letzter
Liebhaber, Neffe eines Papstes,
und irgendwo, auf dem Fluchtweg nach Osten,
liegt, rostend, das Stilett, die Mordwaffe,
so hat alles seinen Platz, alles liegt gut und endgültig,

liegt er, in seinen letzten Minuten, und starrt auf
diesen Schädel unter dem hölzernen Himmel, den
ich nicht sehe, denn er ist verschwunden, verbli-
chen wahrscheinlich,

sieht den Schädel, und hinter dem Schädel ein
Leuchten, ein irres Flackern, das nicht da ist, denn
es ist in ihm –

liegt und lacht plötzlich und verstummt wieder,
und horcht,

aber nicht mehr auf seine eigene Schöpfung, seine
eigenen Stimmen, nicht auf Sopran und Falsett
und Tenor und den Baß, den er nicht selten selbst
sang, weil kein anderer es ihm recht machte, aber
er hört nicht mehr auf sich und seine Stimme,

nicht mehr auf den ersterbenden Hauch, das Flü-
stern, die schrille Verzückung, das sforzato, die
jähe Steigerung bis zur erstarrenden Ekstase, dorthin wo Schönheit nicht mehr erträglich ist, wo Tod
und Liebe zu einer einzigen Erfüllung verschmel-
zen, sich vereinen, wo das Unerwartete zum uner-
hörten Ereignis wird,

und nicht mehr auf Akkorde, auf Modulationen,
Harmonie und Enharmonik, die kühnen unbefan-
genen verbotenen Schritte von as-moll zu C-dur,
er tut keine Schritte mehr,

und gleitet auch nicht mehr entlang über seine
chromatischen Stufen f – e – es – d –

o morire –

f – e – d – e – es – d – c – h – c –

o mori – i – i – re –

– morire, ja, jetzt ist es an dem – aber darauf
horcht er nicht, nicht auf den Tod, nicht auf die
Liebe, nicht mehr auf Gott, nicht auf sein crux
benedicta, nicht auf diese entkörperten Stimmen –

er liegt und horcht auf anderes, liegt in Erwartung, ob er es höre, etwas Unbekanntes, aber er
hört es nicht, er hört nichts, er liegt, sein Kopf hier,
wo mein Kopf liegt, horcht ins Leere, starrt ins
Leere, starb der Unsterbliche, der Unbegreifliche,
Große, das Rätsel, das Wunder, der Mörder, inter
mortuos liber, hier, in diesem Bett, dem Winterbett,
in dem ich hier jetzt liege, in einer kalten Novembernacht.

Jetzt sind Schritte im Haus.
Das ist Celestina. Sie hat die Küche aufgeräumt,
nun geht sie hinauf, in ihre Kammer, in der einen
Hand eine Kerze, eine Flasche Wein in der anderen, sie nimmt die Stufen, still und aufgerührt,
verstrickt in ihre Sünde; vor ihr entschwindet,
wie ein Nebel, der sich vor den Schritten lockert,
die Hoffnung auf Erlösung in der kalten Dunkelheit des allzu frühen Morgens.

Celestina: die große Krise in unserer Beziehung war schon früh eingetreten, kurz nachdem ich hier eingezogen war und sie und das Haus übernommen hatte: ein Apfelbaum, seit Jahren totgeglaubt, aus Nachlässigkeit nicht gefällt, lange schon ohne Grün oder Frucht, begann zu blühen, Blätter zu tragen und das Versprechen auf Früchte. Während dieser Wochen des Wiedererwachens sprach Celestina nicht mit mir, sie nahm meine Weisungen schweigend hin, ohne mich anzusehen. Einmal, als ich zu ihr geredet hatte und ich mich nochmals nach ihr umwandte, sah ich, daß sie sich bekreuzigte.

Aber die Gelegenheit, sich mit dem Pfarrer zu unterreden, durch den Hinweis auf einen Verdacht der Hexerei einen Spalt der Kirchentür für sich öffnen zu lassen, nahm sie nicht wahr, nicht Celestina. Später muß sie es dann vergeben oder vergessen haben,

obgleich die Früchte, die der Baum im Spätsommer trug, herrlich waren, jeder Biß eine Schwelgerei, saftig und würzig wie die Äpfel der Versuchung im Paradies. Celestina hat keinen davon gegessen.

Das ist jetzt zehn oder elf Jahre her. Der Baum trug nie wieder. Er starb allmählich wieder ab, und ich habe ihn fällen lassen; wer weiß: vielleicht hätte er eines Jahres noch einmal getragen, aber ich wünschte es mir nicht, um Celestinas willen nicht.

Ein Rätsel. Oder zumindest: Teil des großen Rätsels – –

– jetzt werde ich müde –

Teil des großen Rätsels, das Tynset heißt. Jetzt werde ich sehr müde. Ja, Tynset ist ein guter Name für das Rätsel. Indem man dem Unbekannten einen Namen gibt, wird es zwar nicht bekannter, das Rätsel enthüllt sich nicht mit dem Namen, aber es ist benannt, es hat eine Bezeichnung erhalten, die das Rätselhafte, das es in sich birgt, zusammenfaßt, chiffriert, die Summe aller Rätsel und gleichzeitig die Wurzel aus ihnen. Das Wort TYNSET wird der Summe und der Wurzel einigermaßen gerecht, jedenfalls wüßte ich kein besseres.

Aber was ist es denn, das ich mir unter Tynset vorstelle? Was? – Nichts, sei still, nichts. Ein Geheimnis verbirgt sich dahinter. Um es zu erforschen, wäre vielleicht eine Reise noch nicht einmal der rechte Weg. Jedenfalls jetzt noch nicht. Später, ja, später, wenn alles andere versagt, später vielleicht, wenn mir die Finger kalt und steif werden, wenn ich müde werde und das Licht in den Gedankengängen erlischt, später, wenn die Worte versikkern, wenn ich auch die Perlen in den Büchern nicht mehr finde, und auch nicht mehr das Nichts hinter der Milchstraße, wenn ich keinen Wind mehr spüre, keine Luft mehr bekomme, dann wird mir vielleicht nichts anderes mehr übrigbleiben, und ich werde mich dorthin aufmachen, vielleicht mit letzter Kraft. Aber bis dahin sollte ich den Punkt, den es sich in mir ausgesucht hat, in Reserve lassen, ihn allerdings auch nicht aus den Augen verlieren. Ich sollte froh sein, diesen Namen gefunden zu haben, ohne nach dem Ding oder dem Ort zu forschen, der diesen Namen trägt. Es gibt wenig genug Namen, die nicht entweder so schön sind, daß die Erforschung dessen, was sie bedeuten, in ein falsches Paradies führt, in ein Gebiet läppischer Schwelgerei, auf den moosweichen Waldboden der schönen Träume, auf dem man ein Einhorn erwartet, oder aber mit Erinnerung so behaftet sind, daß mir stets nur der erste Träger des Namens dazu einfiele, von dessen Gegenwart ich mich niemals ganz befreien könnte. Zu Tynset jedoch – das wird mir zunehmend klar – fällt mir nichts ein, nichts und niemand, außer Hamlet, aber er fällt mir oft ein, fiel mir schon ein, bevor ich Tynset fand, und es ist möglich, daß ohne ihn Tynset nicht so stark in mir haften geblieben wäre wie es ist. Gewiß, ich schweife immer wieder ab, ich habe Tynset noch nicht im Griff, es entzieht sich mir, aber es kehrt immer wieder zurück, und, vor allem, es wächst, wächst auf dem Block,

da steht es, allein, Tynset steht da, es kommt nichts mehr hinzu, keine Erläuterung, kein Kommentar, ich werde es von seiner Verzierung befreien, mit der ich es umzeichnet habe, es droht unter ihr zuzuwachsen. Damit allerdings stelle ich auch sein Pathos wieder her, aber dieses Pathos hat es nun einmal, Tynset.

Ich schreibe es neu, da steht es, nun ist es, wie so vieles, eine große Überschrift mit nichts darunter, nichts dahinter als weißes Papier. Vielleicht soll es so sein? Warte ich ab – ich bin müde – lege ich den Block aus der Hand – an was dachte ich noch, vorher? Was war es? Tynset – nichts – sei still, nichts – ich werde jetzt schlafen – – –

Fortnum & Mason, Piccadilly 111–119, London W. 1. Mischungen eins, zwei und drei –

van der Veersschoutte & Klijnstra, Prinsengracht 133, Amsterdam, Mischungen eins und drei –

Alberto Sackpfühde jr., Hamburg 2, Alter Wall 24, Mischungen zwei und drei –

Wehrgenus & Flatow, Delikatessen, Hannover 3, Bismarckstraße 45–47, Mischungen zwei und drei –

– Mischung eins, in Deutschland nicht abzusetzen,
ja, »absetzen« ist das Wort. Rosmarin scheint nicht
Sache der Deutschen zu sein – auch Knoblauch
nicht,

deutsche Esser legen Wert auf reinen Atem. Wer
war das noch, der mir das gesagt hat? Ein Mann
mit festem Nacken, dem ich mich gegenüber fand,
irgendwo in einem Speisewagen. Später sah ich
sein Bild in einer Zeitung, er hieß Jerka oder Jörka
und hat, wenn ich mich recht erinnere, im Krieg
ein paar Dänen die Hüftknochen herausgenom-
men, um sie ein paar Deutschen einzusetzen, eine
große Kapazität auf seinem Gebiet –

aber los von diesem Gebiet, ich wollte schlafen,
war schon nah daran: Traitteur Schwendimann,
Zürich, Seilergraben 7, Mischungen eins, zwei und
drei –

Ditta Luigi Rigamonti, 88 via Rossini, Milano,
Mischungen eins, zwei und drei, –

ja, alle unbekannt und alle gegenwärtig – keine
Gefahr des Vergessens hier –

Giuliano Rho S.p.A., 14 via Archimede, Milano,
Mischungen eins, zwei und drei –

Gianfrancesco Ravagnan, Zattere 1044 – – – –

– und ich erwache wieder, an den Rand der Nacht
geschwemmt, ich liege schon dort wo ihr Gewebe

fadenscheinig wird und Licht durchläßt, wo sie sich noch nicht entschieden hat, ob sie dem Tag das große Feld räumen soll oder nicht. Ich sehe auf die Uhr. Es ist zwanzig Minuten vor vier. Ich werde die Nacht noch herumbringen,
aber ich habe sie noch nicht entlassen, ich halte sie, jetzt da ich sie habe, halte sie, halte meine Augen geschlossen, halte mich an einem Zipfel und ziehe mich mühsam und hoffnungslos hinter ihr her, meine Füße schleifen auf der Erde.

Ich kann noch nicht lange geschlafen haben, vielleicht eine halbe Stunde ist vergangen seit meinem letzten Wachen, oder weniger, die Ruhe hatte sich noch nicht völlig über mir ausgebreitet, die Wellen haben sich noch nicht gelegt, noch spüre ich den abziehenden Tag in den Fingerspitzen, obgleich er fort ist und nichts übriggelassen hat; auch in den Zehen spüre ich ihn, spüre im Moment des Erwachens, daß es sich an diesen äußersten Ecken und Spitzen wie auch in meiner tiefsten Tiefe noch regt und nun, da ich erwacht bin, wieder neu zu regen beginnt und der Mitte zustrebt, wie Wellenkreise in umgekehrter Richtung dem Zentrum wieder zustreben, dem Aufprallpunkt des Steines, dessen Fall sie verursacht hat, und innerhalb Sekunden bin ich in einem Meer von Stille eine Insel von Beben. So liege ich denn im Dunkel, in wachsendem Aufruhr, und horche auf etwas. Auf was? Auf die Wiederholung dessen was mich geweckt haben könnte. Die Stille beginnt zu dröhnen, das Herz beginnt zu flattern, als wolle es seine Wände sprengen und hinaus, nichts wie hinaus – aber sonst höre ich nichts, noch nicht einmal die Hähne, sie sind verstummt. Ich weiß also, daß es kein Geräusch ist, das mich geweckt hat, sondern irgendeine plötzliche Veränderung, die sich in diesem Augenblick irgendwo vollzieht, vielleicht hier im Zimmer – nein, hier nicht, hier regt sich nichts – aber draußen vor dem Fenster vielleicht, wo vielleicht ein Mann ist und einen langen Schatten wirft, ein Mörder vielleicht sich duckt und zum Sprung auf mein Fensterbrett ansetzt, oder unter der Laterne an der Ecke, wo vielleicht einer steht und auf einen anderen wartet, der aber nicht kommen wird, oder auch vielleicht weiter weg, in Tynset vielleicht, oder an irgendeiner anderen Ecke der Erde oder auch außerhalb, im Weltraum vielleicht. Irgend etwas wird geboren jetzt, etwas entsteht, vielleicht etwas Schreckliches, vielleicht aber auch nicht; vielleicht etwas das erst schrecklich wird, etwas das über eine lange Zeitspanne, die ich vielleicht noch nicht einmal überleben werde, zu etwas Tödlichem anwächst, wie ja auch wir unseren Anlaß für den Tod stets tief versteckt als Köder mit uns tragen, und nichts kann uns vom Anbiß befreien als ein anderer Anlaß, ein anderer Köder, der an einer anderen Stelle steckt, oder ein Anlaß von außen. Vielleicht vollzieht sich irgendwo, in einem Loch oder in einer Felsspalte oder in der Atmosphäre oder zwischen den Planeten, ein stiller Wechsel, scheinbar harmlos, dessen Wirkung aber ein zu dieser Stunde geborener Mensch später furchtbar zu fühlen bekommen wird, vielleicht ist es aber auch das vorüberziehende atlantische oder mediterrane Tief oder Hoch – ich habe vergessen, was es war –, die Wachablösung diensthabender Witterungen, vielleicht aber auch ein Erdbeben in Lissabon oder in Sizilien, eines wie Goethe es in den seismographischen Knochen unter der Masse seines olympischen Fleisches spürte –, nein, das nicht, nicht Sizilien, auch nicht Lissabon, diese Orte gibt es, von dem Punkt in der Nacht aus gesehen, an dem ich jetzt bin, nicht. Ich bin jetzt außerhalb allem, in einer anderen Dimension.

Jedenfalls was es auch sei, es ist etwas Unabänderliches, dem ich nicht gewachsen bin, ich kann ihm nicht entgegentreten, nicht im Nachthemd. Ich bin ihm ausgeliefert, wie ich allem ausgeliefert bin. Ich bleibe reglos auf dem Rücken liegen, in diesem Bett, dem Winterbett, und blicke mit blin-

den Augen nach oben, wo ich nichts sehe, jedem
Schrecken ergeben, gefaßt auf alles, ich liege wieder gelöst, ich entspanne meine Gelenke, lockere
die Sehnen und sinke in die Kuhle der Matratze –
Pfühl –, ich lasse mich vom Mittelpunkt der Erde
wieder ansaugen, ich prüfe ihre Anziehungskraft,
koste sie aus, sinke und sinke tiefer in sie hinein,
wieder im sehnlichen Wunsch, in ihr zu versinken,
ein Teil von ihr zu sein, bündig mit ihrer Oberfläche, so daß alles, Körper und Wind und Zeiten,
über mich hinwegziehen. Das Dröhnen im Blut
verebbt, mein Herz legt die Flügel wieder an, faltet
sie locker ineinander, wie wildes Geflügel, das sich
mit gespeicherter Wärme auf die Kälte der Nacht
vorbereitet, das Summen im Blut bleibt, aber sein
Ton hört auf zu schwingen, die Wellen werden
schwächer, sie ebnen sich, glätten sich, und
in der Ferne ballt sich eine Wolke, sammeln sich
Gestalten, rottet sich eine Horde wüster Gesellen
zu einem Traum zusammen und zieht langsam aber
mit zunehmender Geschwindigkeit mir entgegen,
auf mich zu, mit einer flatternden Fahne, um meinen Schlaf zu beleben, ihn mit seinem Schrecken vor
dem Schrecken von außen zu hüten, sie wird über
mich hinwegziehen, über mein Grab, in dem ich
jetzt wieder schlafe, unter allem hindurchschlafe

und lachend erwache, in Erinnerung an Lachen. Wir haben damals viel gelacht, die, mit der ich war, und ich. Da saßen wir in irgendeiner Spelunke – ich weiß nicht mehr, war es im Norden oder im Süden? – da trat einer auf, ein Athlet mit ungeheuerlichen Armen und Armreifen, der zerriß Telefonbücher. Er zerriß eines nach dem anderen, aber nicht der Länge nach sondern quer, mehrmals, und schließlich stand er bis zu den Knien in zerfetzten Telefonbüchern, und wir mußten lachen.

Wer war es, mit der ich zwei Sommer oder drei Sommer in Somerset verbrachte, zwischen runden Hügeln, gepolstert von schmatzender Wiese, gesäumt von Weiden, eine gerade, geplante, geordnete Landschaft, entworfen und ausgeschmückt, so weit das Auge sah, aufgebaut von Architekten des Barock, die selbst die Gewitterwolken in ihr Bild setzten, als sei es eine Bühne, den großen Effekt, die Apotheose. Und das Gewitter kam, gegen Abend zog es herauf, nachts war es über uns mit einem Luftzug, und plötzlich wehten alle Gardinen nach innen, da war es, eine Katharsis, die Schwüle eines ganzen Lebens war weggewischt, und am Morgen war nichts mehr das gleiche, wir gingen durch den Park, im Gespräch, das ich vergessen habe. Der Park war klar und feucht und

kühl, und alle Umrisse waren schärfer geschnitten,
als drängten sie zu einer Entscheidung,

– oder auch damals in diesem Labyrinth, die Rufe,
das Echo in den Gärten, da waren wir, damals
noch jung, wir liefen einander nach, dann betrat
der Wärter den Altan, mit seinem Hund, ein Tier
von abschreckender Häßlichkeit; sah aus wie der
Hund auf den Fresken der camera degli sposi –
waren die Hunde der Renaissance so häßlich, oder
konnten ihre Maler keine Hunde malen? –

– oder diese Überfahrten, im Oktober oder November, damals vor vielen Jahren – Möwen krei-
schen schrecklich und umkreisen den Mastbaum,
der langsam im Winde schwankt, ein riesiges Metronom, das den Wellen ihr Tempo gebietet –
wir näherten uns – wir nähern uns den weißen
Kreidefelsen von Dover, oder wir entfernen uns
von ihnen, Schloß Kronborg taucht auf oder es
entschwindet, im Wind, der das Gespenst weg-
bläst, Hamlets Vater reitet auf einem Besen vorbei –, es gab auch eine grüne Küste, das war Corn-
wall, und über uns knattert eine Fahne im Wind,
und ihr Haar weht. Seine Trägerin ist in einen
langen Wollshawl gehüllt. Aber wessen Shawl ist
es, wessen Haar? Wessen Augen? Sie trägt eine

Sonnenbrille, aber nicht weil es sonnig ist, es ist nicht sonnig, der Himmel ist –

ja, der Himmel ist grau, dunkelgrau, zinnfarben, ein Himmel, der sich nicht entscheidet, sich die Möglichkeiten offenhält, und über ihn ziehen die Möglichkeiten, dunkle Fetzen, blaue Löcher, heller Dunst. Sie trägt eine Sonnenbrille, ja, weil das Wasser spritzt und sprüht, die Gläser beschlagen sich mit einer Salzkruste. Irgendwann wandte sie sich mir zu und rief mir etwas zu, über dem Wind –

irgendwann wandte sie sich mir zu auf der Bank im Park in Somerset und fragte etwas, ich weiß nicht mehr, was sie fragte oder was ich antwortete –

irgendwann stießen wir plötzlich aufeinander in diesem Labyrinth der Villa Barbarigo, ich erinnere mich, es war als sähen wir uns zum ersten Mal von Angesicht zu Angesicht –

ja, natürlich, es war immer dieselbe. Aber wer war es, wie hieß sie?

»Verdamme Bindungen, segne Lockerungen!« – Wer hat das noch gesagt? Ich glaube, es war Blake. Ja, Blake war es, der wußte es, aber ich weiß es besser. Ich meistere das Handwerk nicht, ich habe in die Werkstatt gesehen, ich weiß, wie die

Meister geartet sind, mir entzieht sich der Halt, vor meinen Augen löst der Sinn sich auf, erscheint der Irrsinn dahinter, ich bekomme die Dinge nicht in den Griff –, und einer der fällt, wo andere klettern, der sollte nicht einen anderen mit sich ziehen.

Ich wollte schlafen. Nein, nach Tynset wollte ich fahren, aber nicht mit dem Zug. Mit dem Wagen. Ich sollte den Straßenzustandsbericht hören – heißt es so? Ja, Straßenzustandsbericht, so heißt es. Ich sollte die Nummer vorher nachsehen, im Telefonbuch, sonst kommen wieder die Hausfrauen mit Mehlschwitze und Mehlmasse –

der Park damals unter dem Gewitter, die Rufe und das Echo in den labyrinthischen Gärten – eins – der Hund der Gonzagas, und das wilde Gekreisch der Möwen, sechs – jetzt hinauf die Straße, die Kurven hinaufpendeln, noch vor dem Schneegestöber, zwischen Nebelschwaden, Windfetzen – neun – die Nebellichter fließen über den Schnee, gelb, sie tasten die Schneemauern ab, die Ketten schaufeln ihn hinter sich, aber so weit ist es noch nicht, noch nicht –

sind die folgenden Pässe bis auf weiteres gesperrt – gesperrt also. Da haben wir ihn denn, den frühen Winter, er nähert sich, bald ist er hier – *Juchten Pelagonier Septimer Julier Pelegrin* – alle möchte ich sie fahren, immer hinauf, tiefer in den Schnee, weiter und weiter – *Pordoi-Joch vereist Persenner Steige vereist Lukmanier vereist* – vereist oder nicht, ich fahre auch über Eis, ich fahre jede Straße hinauf, immer hinauf – *Hartschnee bis zu zweitausend Meter Höhe darüber Pulverschnee es sind geräumt die folgenden Paßstraßen Fuorn Sugana Tellina* – ich überfahre die Grenze von Hartschnee zu Pulverschnee, immer weiter hinauf, ich stoße mich ab, ich gleite – *die geräumten Pässe nur mit Schneeketten befahrbar Achtung die Straßen sind einspurig* – einspurig oder nicht, ich erhebe mich über der Spur, ich fliege – *über fünfzehnhundert Meter mit starkem Hochnebel zu rechnen ist* – ich durchstoße den Nebel – *vor allem nachts* – ich durchstoße die Nacht, schwebend, fliegend, ich fahre aufwärts, immer aufwärts, wieder den Sternen entgegen, immer wieder, wieder dorthin, wo das Loch in der Milchstraße ist, ich fahre und fahre, wieder durch das Loch, wie-

der dorthin, wo nichts mehr ist – fahre ins Nichts
– nichts –

– ja, einen Zipfel der entschwebenden Nacht habe
ich schließlich doch noch erhaschen können. Jedenfalls scheint es so. Ich habe geschlafen. Jetzt ist die
Nacht vorbei. Etwas von ihr habe ich noch mitbe-
kommen, bevor sie ganz über mich hinweggezogen
war. Wie dem auch sei, jetzt bin ich wach, nicht
hellwach aber wach, jedenfalls so wach, daß an
Schlaf nicht mehr zu denken ist. Es ist hell.
Es ist etwas geschehen. Dies ist nicht die Helle eines gewohnten Tages sondern die Helle eines ungewohnten Tages, eine kränkliche weiße Helle,
blaß und doch blendend, ein Taggespenst schwebt
durch den Raum und spiegelt sich in den Fenstern,
die Wände flimmern. Und die Fenster – sie sind
vertikale Rechtecke mit Sprossen wie Fischgräten,
ein Gerippe aus einem dumpfen, dunklen Weiß,
die das blendende Weiß vor dem Doppelfenster in
acht gegeneinander verschobene Quadrate teilen.
Und alles ist still, es ist stiller als sonst, wenn ich
erwache, alle Laute sind erstickt. Und was hat mich
jetzt geweckt? Wieder horche ich nach innen und
nach außen, und wieder höre ich nichts, der Nachbarhahn war schon lang verstummt, den zweiten
Hahn höre ich ohnehin tags niemals. Es ist hell,

sie gehen ihren Hennen nach, alle Hähne in allen Ländern, in denen es jetzt hell ist.

Nichts also hat mich geweckt als der Tag und die außergewöhnliche quälende Helle dieses besonderen Tages. Und plötzlich, jetzt plötzlich, weiß ich, spüre ich in meinen Gliedern, was mich vorher und was mich jetzt geweckt hat, was mich nachts geängstigt hat, als ich erwacht bin, und warum es jetzt so hell ist in meinem Schlafzimmer. Es schneit, und es liegt schon Schnee, das ist es, und es ist ja auch genug. Es ist unerwartet Winter geworden. Unerwartet? Nein, ich war auf diesen frühen Winter vorbereitet, habe es ja schon zu Celestina gesagt, bevor ich – bevor ich sie segnete oder vielmehr zu segnen versuchte.

Und Tynset? Wie ist es jetzt mit Tynset?

Vorbei, erledigt. Es ist zu spät. Nichts mehr davon. In diesem Schnee wäre ich nicht nach Tynset gekommen, niemals. Ich habe mir wohl ohnehin zuviel davon versprochen, obgleich ich mich jetzt nicht erinnere, was es eigentlich war, das ich mir davon versprochen habe. Irgend etwas muß es wohl gewesen sein. Was es auch sei, viel kann es ja nicht sein, ich habe mich gewiß Trugbildern hingegeben, falschen Erwartungen. Gewiß ist es alles andere als ein Ort der Erfüllung. Allerdings auch keine Stätte des Entsetzens. Das Entsetzen ist nicht an eine Stätte gebunden, es kennt auch keinen Ort, es wächst in der Zeit, und überall gleichzeitig, mancherorts unsichtbar, aber allgegenwärtig, oft verdeckt, aber es wächst, es gedeiht, es blüht, es trägt Früchte.

Vor längerer Zeit sah ich auf der Straße eine Mutter mit ihrem Kind, das Kind stolperte und fiel hin. Es hatte sich nicht verletzt, es schrie nicht, weinte noch nicht einmal, es gab keinen Laut von sich, in seinem Gesicht war auch kein Schrecken, kein Schmerz, keine Angst, die Augen waren offen, kein Ausdruck war in ihnen, nichts war ihnen abzulesen, der Mund war unbewegt, geschlossen. Aber es blieb auf der Straße liegen. Seine Mutter versuchte, es aufzurichten, aber das Kind versuchte mit seiner ganzen ungeheuren kindlichen Kraft, liegenzubleiben, im Dreck, mitten auf der Straße, unverletzt, lautlos, großäugig. Schließlich gelang es der Mutter unter großer Anstrengung, das Kind zu heben, sie putzte es ein wenig ab. Das Kind, nun da es stand, ließ es geschehen, ließ sich dann von der Mutter ziehen, die Straße hinab, immer lautlos, ausdruckslos. Ich sah es an, als es hinter der Mutter an mir vorbeiging, es sah mich an, und einen Augenblick lang gingen unsere Leben eng nebeneinander her.

Das Kind ging vorbei, es sah sich nach mir um, dann wandte es sich wieder ab, ich wandte mich ab und ging weiter. Ich sah mich noch einmal nach ihm um, und in diesem Augenblick sah das Kind sich noch einmal nach mir um, dann sah ich es nicht mehr. Ich weiß nicht mehr, ob es ein Mädchen war oder ein Junge, wahrscheinlich ein Junge, aber was es auch war, ich liebe dieses Kind.

Nun schlage ich die Decke zurück und gebe damit die Wärme meines kurzen Schlafes preis. Ich setze mich auf den Bettrand, und während ich blind in meine Hausschuhe schlüpfe, spüre ich die neue Kälte, eine andere Kälte als die der Nacht, als ich noch im Herbst zu stehen meinte. Der Winter zieht über den Fußboden, meine Füße stehen in einer Schicht von eisigem Hauch, der in Schwaden über die Türschwellen zieht, an der einen herein, an der anderen hinaus, und durch die anderen Räume, Besitz ergreifend von meinem Haus.

Ich gehe zum Fenster und sehe durch die Scheiben. Der Himmel ist nicht hell, er ist ein dunkelgrauer Raum, ein großes Sieb, das Flocken sprenkelt, sie sinken und wedeln träge herab, Frau Holles, der furchtbaren Kindheitsgöttin Federn. Es ist ein Schauspiel, das mich immer wieder überrascht. Wie oft wird es mich noch überraschen? Ich muß an die alte venezolanische Mestizin denken, die der Schlag traf, als sie zum ersten Mal Schnee sah – und ihre Sippe kniete nieder, in Schrecken und Ergebenheit und Erwartung des gleichen Schicksals, und betete zu ihrer Gottheit.

Vom Kirchturm schlägt es neun. Auch dieser Schlag wird von Schnee gedämpft, er ist wattig, wollig, den Anschlag hört man kaum, nur das schreckliche vibrierende Schwingen, das sich gleitend, in Wellen, ausbreitet. Sie prallen nirgends auf, sie verklingen zitternd am Bergrand, wo sie sich mit ihrem Echo vermischen, dreifach zurückkommen, um mehrfach wieder zu verklingen, eine böse Musik.

Ich gehe zurück zum Bett, streife die Hausschuhe wieder ab, lege mich wieder hin, ziehe mir die Decke über und habe das Präludium des Tages hinter mir, oder auch das Thema, bereite mich nun auf die Variationen vor, und zum Schluß kommt vielleicht die Fuge. Tynset? Nein, das nicht, keine Fuge.

Jetzt beginnt eine der Kirchenglocken wieder zu läuten, eine andere. Eine läutet gewöhnlich, zumindest tags, das Glockenwerk hält nicht lange still, es sind etwa fünf Glocken, denke ich, oder sechs, und mindestens eine von ihnen hat immer Schicht. Ist heute Feiertag? Vielleicht das Fest der

Versuchung des heiligen Antonius, aber das ist, soweit ich weiß, erst am zweiten Dezember, so weit sind wir also noch nicht. Das wäre auch eine größere Glocke. Jetzt ist es nur eine kleine, die kleinste sogar, die helle, klimpernde, klagende, die sie »Stella Mariä« nennen. Warum sie so heißt – das weiß ich nicht. Sie wird einmal im Jahr, im Mai glaube ich, von kleinen Mädchen geweiht, die noch vor der ersten hl. Kommunion stehen. Sie müssen sich vorher waschen und zur Beichte gehen, sind in unbeflecktes Weiß gekleidet, mit Spitzenbesatz umhängt und einem beinernen Kruzifix an blechernen Kettchen und tragen Margueritenkränzchen im Haar, und sie singen trostlose Weisen über die Nichtigkeit alles Irdischen angesichts der endlichen Erlösung, derer sie im Lied mit Inbrunst und unter freudigem Verzicht auf irdische Versuchung zu harren behaupten. Stella Mariä ist also keine Stundenglocke, sie schlägt nur Sekunden und setzt dazwischen aus, wie ein Metronom bei einem Grave, nein, eher wie ein sehr langsamer Herzschlag. Das klingt etwa so: Bim – Sekunde des Schwingens und Verklingens – Bim – Sekunde – Bim – Sekunde – und so weiter.

Aber das ist ein Tod. Ein Kind ist gestorben. Für Erwachsene bedienen sie sich anderer Glocken, es gibt da zwei, eine für Frauen und eine, eine tiefere für Männer. Und je größer die Rolle war, die der Verstorbene zu Lebzeiten im Gemeindewesen gespielt hat, desto länger dauert das Läuten an. Neulich, als ich über die piazza ging, begann die Männerglocke zu läuten. Die Leute blieben stehen, nein, vielmehr kamen sie langsam zum Stillstand, als sei in ihnen ein Uhrwerk, das ihre Beine betätigt, allmählich abgelaufen, und sie horchten, ihre Augen schräg aufwärts gerichtet, ob die Länge des Läutens ihren Argwohn bestätige, daß es diesmal den Bürgermeister getroffen habe, der herzleidend und damit, je nach Einstellung der Bürger, ein Anlaß zu Besorgnis oder zu Hoffnung ist. Aber es läutete nicht lange genug, es war dann schließlich nur ein Bauer, und als der letzte Schlag verklungen war, als die Gewißheit sich über den Platz breitete, daß nun kein Ton mehr käme, daß also der Bürgermeister noch einmal davongekommen sei, setzten die Uhrwerke sich langsam wieder in Bewegung, die Leute gingen weiter, setzten ihre Bahn fort, und wo zwei oder mehrere von ihnen einander kreuzten, warfen sie sich einen Blick zu, leblos und doch voller versteckter Bedeutung, der besagte: diesmal also noch nicht, aber das nächste Mal, bald, trifft es ihn doch, und dich vielleicht auch.

Aber jetzt ist es nur ein Kind. Es hat schon aufgehört zu läuten, es war noch nicht einmal ein wichtiges Kind, wahrscheinlich ein Bauernkind und dazu arm. Ich werde nachher Celestina fragen, wessen Kind es war –

Celestina – wie wird sie mir heute morgen begegnen? Wie werde ich ihr begegnen?

Ich werde also Celestina fragen, sie weiß es, sie selbst braucht nicht zu fragen, sie weiß, wer früh stirbt oder spät, wer nicht mehr viel Zeit hat, wer nicht fähig zum Leben ist, wer nicht weit kommt, und wer alt wird, wen Gott zu sich nimmt und wen er verschmäht. Sie weiß viel, Celestina.

Jedenfalls findet die Beerdigung um elf Uhr statt, Beerdigungen sind immer um elf Uhr, damit der anschließende Leichenschmaus in die Mittagsstunde falle. Der Gang von fünfzehn Minuten leicht bergan zum Friedhof, der Gang zurück, bergab, das schafft Appetit, rüttelt den Magen zurecht, man setzt sich zur Mahlzeit, schüttelt die Serviette, brüderlich, feierlich, gedämpft, rechtschaffen, händereibend hungrig, erfüllt von Ergebenheit dem Schicksal gegenüber, das dem einen das Ableben, dem anderen noch eine gute Mahlzeit beschert, die immerhin die letzte sein mag.

Ich werde um elf Uhr zur Beerdigung gehen, um

dem unbekannten, namenlosen Kind, wessen es auch sei, ein letztes Geleit zu geben. Denn es werden gewiß nicht viele Leute dabei sein: ein Bauernkind, und bei einem solchen Wetter, Schneefall, Schneetreiben ist es inzwischen schon, es wütet kalt. Es wird eine jämmerliche kleine Prozession sein, sie wird durch den Schnee stapfen, ein gedrängter Haufe, schwarz und grau, nur die kleinen Mädchen, Schulkameradinnen, sind wieder in weiß, schneeweiß im Schnee, einzig das Rosa der Bäckchen hebt sich ab, und das Schwarz der Gesangbücher. Sie haben wohl erzählt bekommen, daß ihr kleiner Gefährte oder ihre kleine Gefährtin jetzt Hochzeit feiere mit dem Jesusknäblein oder mit dem Christkind, ein Engel, der sie fortan gar überwachen und ihre guten Taten zählen, Register darüber führen möge. Sie werden vor dem Pfarrer herlaufen, der, gerahmt von stimmbrüchigen Chorknaben, mit schwingenden Spitzenärmeln den Weihwasserkessel schwenkt. Der schaukelt im Rhythmus seiner Schritte nach rechts, nach links, nach rechts und nach links, wie eine schwere Glocke, und das Häufchen zieht stampfend und blasend hinter ihm her gleich einem Rudel von Haustieren hinter dem Napf mit wohlriechendem Gekoch. Alle werden sie Regenschirme tragen und damit das ihre tun, den sakralen Charakter des

Aktes einer trüben Wirklichkeit anzupassen, und daran, wahrhaftig, tun sie recht, denn der Tod ist einer trüben Wirklichkeit trübster Vertreter, ihr Repräsentant schlechthin. Man sollte ihn wie einen Staatsbeamten behandeln oder wie einen Gerichtsvollzieher oder einen Steuereinnehmer, ein lästiges, noch nicht einmal notwendiges Übel, über das zu reden sich nicht lohnt, ohne Glanz oder Majestät, ein Werkzeug in eines anderen Hand, nicht Steuermann sondern das Fahrzeug, nehme ich ihm den Wind aus den Segeln. Ich werde zur Beerdigung gehen – vielleicht zur Beerdigung gehen, nicht wegen des Todes sondern wegen des Toten, und sei es auch nur ein Kind, um sein Gefolge, Gefolge eines Kindes, um einen Gänger zu vermehren, einen, der sich die Dinge überlegt hat, der weiß, um was es sich handelt, nämlich um nichts, buchstäblich nichts. Ich werde mitgehen, geduckt, armselig, in dem Häufchen Gefolge – – wenn ich bedenke –, als Mozart starb –

Bei Mozarts Begräbnis ging kein Mensch mit, auch Konstanze nicht, die mit einem Schnupfen das Bett hütete. Der Sarg kam gar nicht erst zum Grabe, es war auch kein Grab geschaufelt. Er kam auch nicht zum Friedhof, der Friedhof war geschlossen, niemand wurde erwartet, die Wärter und Totengräber saßen beim Heurigen oder bei anderen Dingen. Mozart wurde irgendwo an einem Wiener Wegrand verscharrt, vergraben, er war im Leben klein von Statur gewesen, und sein Leichnam war noch kleiner, war im hitzigen Frieselfieber geschrumpft, man stopfte ihn in ein Loch irgendwo, half mit den Stiefeln nach, und das Loch schneite zu. So war es, ja, so und nicht anders. Gab es damals schon Regenschirme?

Wann wurde der Regenschirm erfunden? Ich sollte mir diese Frage notieren, denn das ist wirklich einmal eine Frage, die beantwortbar ist – beantwortbar sein sollte – –

Regenschirme –: in London sah ich eine Aufführung von »Hamlet« in modernem Gewand, wie es hieß. Zu Ophelias Leichenbegängnis trugen alle, König Claudius, Königin Gertrud und die ganze Schar von Schurken, aufgespannte Regenschirme. Es war sehr wirkungsvoll, diese Wirklichkeitsnähe, die selbst der Witterung Rechnung trug. An irgendeiner Stelle mußte Hamlet niesen, und eine Welle von Rätselraten zog sich durch das Dunkel des Zuschauerraumes: hatte der Darsteller oder hatte Hamlet sich erkältet? Mißgeschick des Schauspielers oder Konzept des Regisseurs? Als Hamlet jedoch später noch einmal nieste, sich darauf umständlich und in eindeutiger Absicht des Handelns das Taschentuch aus der Tasche kramte und sich laut schneuzte, da wußte man denn: Einfall des Regisseurs, um uns den Menschen Hamlet in seiner ganzen körperlichen Anfälligkeit näherzubringen, zu zeigen, daß auch der leidvoll Auserlesene Sklave seiner irdischen Gestalt ist. Es gab Applaus bei offener Bühne. Dies aber verwirrte den Darsteller, der nun nicht sicher war, ob er das Niesen wiederholen solle, denn seine Nachahmung war prächtig, war der akuten Erkältung abgelauscht und dazu eine lockernde Zäsur im Prozeß der Zuspitzung seines tödlichen Dilemmas. Aber er wiederholte es nicht, er spielte weiter. Und er hatte wohl recht: er hätte diese wohlgesetzte, dem Kenner zu erlesenem Genuß zugedachte Andeutung leichtfertig wieder weggewischt. Und er war ja ein guter Hamlet, oder zumindest: so gut, wie eben ein Schauspieler sein kann, wenn er den Versuch unternimmt, Hamlet darzustellen.

Jetzt fällt es mir ein: Vanessa hieß sie. Vanessa, ein guter Name. Und ich muß sie geliebt haben. Ich erinnere mich –
ich erinnere mich, daß ich mich manchmal nachts im Dunkel, in jäher lähmender Angst um ihr

Leben, über die Schlafende neigte, um zu horchen ob sie noch atme.

Ob sie noch atmet?

Tynset. In diesem Wetter, in diesem Schnee, der sich nach Norden hin nur noch vermehrt, erhöht, dichter fällt, stärker weht, Wände aufrichtet, in diesem Schnee wäre ich steckengeblieben, wahrscheinlich sogar noch bevor ich den Paß erreicht hätte, noch bevor ich in eine größere Straße abgebogen wäre, oder am Paß oder dahinter, am nächsten oder übernächsten Paß, oder sogar in der Ebene in einem Sturm. Nein, der Schnee liegt schon zu hoch zum Fahren. Tynset ist hinfällig. Ich werde nicht mehr nach Tynset kommen, ich werde es auch gar nicht versuchen, ich werde dieses Haus nicht verlassen – wozu sollte ich es verlassen? – ich werde auch nicht zur Beerdigung gehen, denn letzten Endes erweise ich dem unbekannten Kind damit keine Ehre, es erfährt meine Teilnahme nicht mehr, aber der Tod, der würde es auf sein Konto buchen, er würde denken, dieser Lump, daß ich ihn anerkenne, was ich nicht tue –, nein, wahrhaftig nicht.

Ich werde Tynset entfliehen lassen, werde es vergessen, verdrängen, ja, ich werde das Spiel mit dem Rätsel sein lassen, werde so tun, als sei alles keine Willkür, alles in schönster bester Ordnung. Dazu brauche ich noch nicht einmal aufzustehen, ich kann hier liegenbleiben, in meinem Winterbett,

in diesem Bett längst vergangener Leidenschaften und Ehebrüche, des Doppelmordes und des einsamen Todes, diesem Bett mit dem Abdruck eines Geheimnisses und eines Grauens, in dem ein rätselhafter einzigartiger Mörder lag,

ein Mörder, aber keiner von den Ordnungswahrern, kein Spreizer einer großen roten blonden Hand, keiner von den Hautabziehern und Pensionären in Schleswig-Holstein, den knochenbrechenden Familienvätern aus Wien, den Aufknüpfern, Menschenschützen,

in diesem Bett der Winternächte, der Mondnächte und der dunklen Nächte, in dem ich nun wieder liege, tief gebettet, obgleich es Tag ist, liege und für immer liegenbleibe und Tynset entschwinden lasse –, ich sehe es dort hinten entschwinden, es ist schon wieder weit weg, jetzt ist es entschwunden, der Name vergessen, verweht wie Schall und Rauch, wie ein letzter Atemzug –

Von Wolfgang Hildesheimer erschienen im
Suhrkamp Verlag

Lieblose Legenden

Die Verspätung. *Ein Stück in zwei Teilen*

Vergebliche Aufzeichnungen / Nachtstück

Herrn Walsers Raben. Unter der Erde
Zwei Hörspiele

Das Opfer Helena / Monolog
Zwei Hörspiele